Lo que la gente está diciend

"Wow. El desayuno con Jesús es una devoción fenomenal para comenzar cada mañana con sus hijos. Este libro de devociones se sumerge profundamente en el estudio del ministerio de Jesús y en cómo podemos aprender de él en nuestro camino diario. No hay mejor manera de comenzar tu mañana que con El desayuno y Jesús."

- Ryan Frank, Direcror Ejecutivo/Editor, KidzMatter

"Muchas de las lecciones más profundas de Jesús se centraron en la comida. Vanessa Myers ha hecho un trabajo maravilloso siguiendo los pasos del Gran Maestro en su libro de devociones Desayuno con Jesús. Ella ayuda a los niños y a sus padres a explorar historias de la vida de Jesús mientras descubren que la gran historia de Dios no es solo sobre las cosas que sucedieron hace mucho tiempo. Está vivo hoy, en todos nosotros."

- Mark Burrows, compositor y educador

"Desayuno con Jesús es una gran manera para que los niños y sus padres comiencen su día. Juntos pueden explorar un breve pasaje de las Escrituras de la vida de Jesús y ver cómo se cruza con sus vidas. La autora Vanessa Myers ha creado una manera apropiada para la edad de leer y aprender las escrituras y luego hacerlas aplicables a la vida cotidiana. Sus actividades "Sígueme" dan manos y pies a las escrituras y a la devoción. Ella ha escrito un libro acorde a como los niños aprenden y crecen en la fe."

- Pastor Debby Fox, Director Asociado, oficina de excelencia del Congregacional, Conferencia de la iglesia Metodista Unida de Georgia del Norte

"Me gusta cómo la Sra. Vanessa relaciona una receta con el libro. Creo que es genial. También me gusta mucho lo que dice en sus devociones. Hizo un buen trabajo."

- Violet Greene, cuarto grado

"¡Desayuno con Jesús ha sido una bendición! Vanessa escribe con tanto entusiasmo y de una manera que los niños pueden entender lo que Dios está diciendo a cada uno de ellos, desafiando a los niños cada día a poner en acción lo que aprenden. ¡La lectura del Desayuno con Jesús ha llevado a algunas conversaciones muy importantes con mis hijos, ya que llegaron a saber cuánto Cristo los ama y simplemente quiere estar con ellos!"

-Katie Atcheson, ministro de niños y familias, Iglesia Metodista Unida de Grayson

"Leer estas devociones me ayuda a pensar en Jesús cada mañana y leerlo por la mañana me ayuda a recordar de mostrar a Jesús a los demás todos los días."

- Nolen Atcheson, la edad 9

"Como madre, he buscado un libro de devociones que sea apropiado para mi hijo de nueve años y también incluya al resto de la familia. ¡Desayuno con Jesús supera mis expectativas! La manera en que Vanessa Myers presenta los conceptos más importantes del cristianismo y como caminar diariamente con Jesús es perfecta para cualquier edad. Quería este libro para mi hija, pero me encontré yo reflexionando y consciente de mi vida en Cristo cada vez que lo leía."

- Hollie Eudy, madre

Desayuno con Jesús

100 Devociones para niños sobre la vida de Jesús

Vanessa Myers

Desayuno con Jesús: 100 Devociones para niños sobre la vida de Jesús

Editado por Kathryn Watson and Christine Speir

Traducido por Emma Smith

Traducción editada por Mariana Stone

Diseño interior por Jen Stults | jstults@beingconfidentofthis.com

Diseño de la cubierta por Shana Corbin

Desayuno con Jesús: 100 Devociones para niños sobre la vida de Jesús / Vanessa Myers

Paperback ISBN: 978-1-7342117-2-6

ebook ISBN: 978-1-7342117-3-3

Para los niños de la Iglesia Metodista Unida de Dahlonega.
Ustedes son un placer de enseñar y me hacen sonreír. Pido para que siempre recuerden de pasar tiempo con Jesús.

Contenido

Reconocimientos

Primero, quiero agradecer a Dios por darme otra idea para un libro. Esta vez es para los niños y sale de mi el deseo de que caminen con Jesús.

También quiero agradecer a mi amiga, Shana Corbin, por pedirme recomendaciones para un libro de devociones para los niños. Su pregunta era Dios me tocó e incitó a escribir este libro de devociones para los niños. Y agradezco a Shana por su hermoso diseño de portada. ¡Ella es tan talentosa!

También estoy muy agradecida por los niños con los que trabajo cada semana en Dahlonega UMC. Me inspiran a seguir enseñando y a compartir a Jesús con ellos. Tengo la bendición de ser su líder en la iglesia.

Siempre estoy agradecida por mi esposo, Andrew, que me apoya con mi escritura. Y estoy muy agradecida por mis dos hijas, Rae Lynn y Shelby. Estoy tan orgullosa de ustedes y tan bendecida de ser su madre. Que siempre recuerden que Jesús está con ustedes y que él las ama.

Introducción

¿Sabías que Jesús invitó a sus discípulos a desayunar con él en la playa?

En Juan 21, encontramos la historia de Jesús cuando se les apareció a los discípulos en la costa del lago de Tiberíades después de haber resucitado. Les muestra donde tirar su red para pescar. Pescaron una red llena de peces (153 para ser exacto). A medida que se acercaron a la costa, vieron unas brasas con un pescado encima, y un pan. Entonces Jesús les dijo, --Vengan a desayunar--. (Juan 21:12). Y los discípulos comieron y hablaron con Jesús. Una de las ultimas cosas que les dijo fue –Síguenme--. (Juan 21:19).

Cuando leo y reflexiono sobre esta historia, encuentro que Jesús les enseñó varias cosas. Primero, él quería que vinieran a comer y se unieran con él. Segundo, él quería pasar tiempo con ellos en las horas de la madrugada. Y tercero, él quería que lo siguieran. Pienso que es tan importante empezar el día con Jesús. No es solamente para los adultos, pero para los niños también. Jesús quiere pasar ese rato contigo cada día, y al pasar 5 a 10 minutos con él antes de ir a la escuela te ayudará a comenzar tu día bien.

En este libro de devociones de 100 días, pasarás un rato con Jesús cada mañana y aprenderás más sobre él. Cada devoción viene de uno de los cuatro Evangelios (Mateo, Marcos, Lucas, y Juan). Cuando lees cada devoción, te imaginas que eres uno de los discípulos y Jesús te está enseñando, como lo hizo esa mañana en la playa. Y te aseguras de tomar algo en el desayuno y comer con Jesús mientras pasas tiempo con él.

La lectura de cada día consiste en lo siguiente: Un versículo de las escrituras, la devoción, una oración, y una idea de "Sígueme" (una manera en que puedes seguir a Jesús durante el día). También encuentras algunas recetas para el desayuno dispersas por el libro que tú y tus padres pueden hacer juntos.

Mi esperanza para este libro es que creas una costumbre de pasar tiempo con Jesús cada mañana. ¡Disfruta de tu desayuno con Jesús!

1

La Palabra

Juan 1:1-5

""En el principio ya existía la Palabra, y la Palabra estaba con Dios, y la Palabra era Dios." Juan 1:1

Haz una lista de las palabras que describen a Jesús. ¡Preparados, listos, ya!

____

____

____

____

____

Estoy segura de que tienes algunas buenas listas. Tal vez algo de lo que escribiste fue "amor," "amigo," "Salvador," "indulgente," o "compasivo." Pero ¿qué pasa con la palabra "palabra?" ¿La tenías en la lista? Pienso que probablemente no. No es una palabra en la que pienses inmediatamente cuando piensas en Jesús.

En el libro de Juan, descubrimos que Jesús es la Palabra. Para ayudarnos a entender que significa eso, pensé que sería bueno para nosotros escribir el versículo de Juan 1:1-3. Solamente llena los espacios vacíos. Estos son versículos de la Biblia NVI:

"En el principio ya existe la __________, y la Palabra estaba con __________, y la Palabra era __________. Él estaba con Dios en el __________. Por medio de él todas las __________ fueran __________; sin él, __________ de lo creado llegó a existir."

De estos versículos, podemos ver que Jesús es la Palabra. Él estaba con Dios en el principio y él es Dios. Por medio de él todas las cosas fueran creadas. Esto nos muestra que él es el que bajó a la tierra para revelar quien es Dios y decirnos como es Dios. Y lo puede hacer porque él es Dios y estaba con Dios en el principio.

Ahora, puedes añadir una palabra nueva para Jesús a tu lista. Vuelve ahora y añade "Palabra." Y si alguien te pregunta lo que significa ¡ahora puedes decirlo!

Palabra de vida, te damos gracias que eres Dios. Te damos gracias que creaste todo en este mundo. Te damos gracias por revelar como es Dios. Te damos gracias por ti, Jesús. Te alabamos, Señor. Amén.

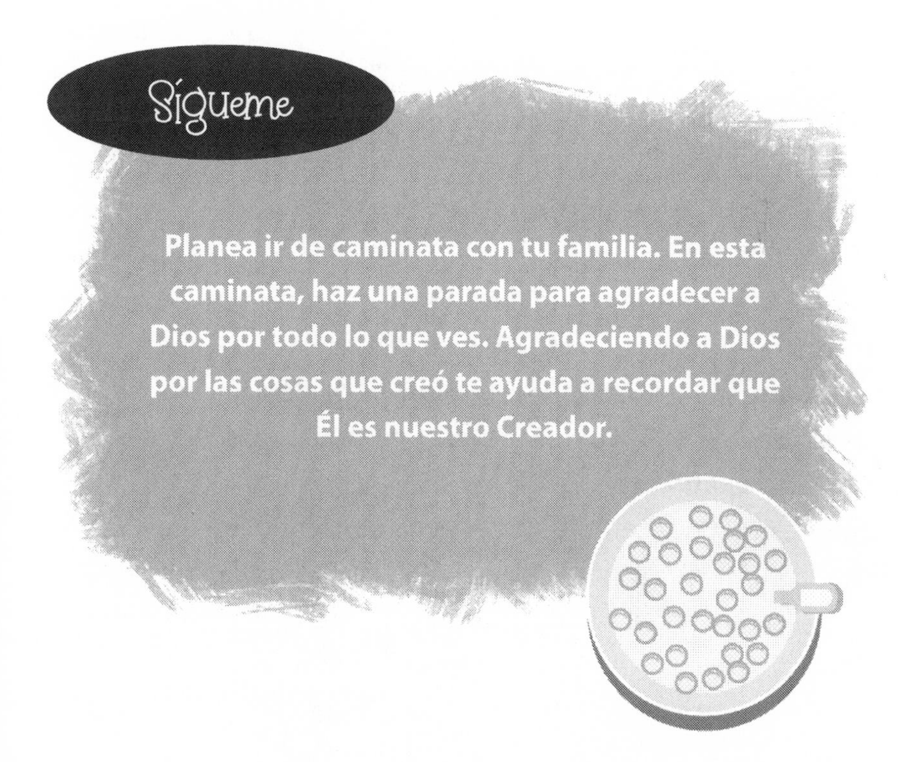

2

Anuncio que predijo el nacimiento de Juan el Bautista

Lucas 1:5-25

""El ángel le dijo: --No tengas miedo, Zacarías, pues ha sido escuchada tu oración. Tu esposa Elisabet te dará un hijo, y le pondrás por nombre Juan--." Lucas 1:13

¿Alguna vez has orado por algo y no creías que Dios te había oído porque Dios tardó mucho tiempo en responderte? Tal vez te sentiste frustrado. Tal vez pensaste que a Dios no le importa o que tu pedido no era demasiado importante. Tal vez estabas a punto de rendirte.

Creo que así es exactamente como se sentía Zacarías.

Zacarías tenía una esposa que se llamaba Elisabet. Estaban casados, pero Elisabet no podía tener hijos. Aún así, Zaracías rezó para que fueran bendecidos con niños. Me gusta creer que Zacarías se sentía como nos sentimos cuando nuestras oraciones no tienen respuestas. ¿Cuanto tiempo más debía rezar Zaracías para el nacimiento de un bebé? Tal vez estaba a punto de rendirse, pero entonces algo asombroso sucedió.

Zacarías era un sacerdote. Fue elegido para entrar en el santuario más intimo del templo para ofrecer incienso a Dios. Cuando estaba allí, apareció un ángel y le dijo "No tengas miedo, Zacarías, pues tu oración ha sido escuchada. Tu esposa Elisabet te dará un hijo, y le pondrás por nombre Juan" (Lucas 1:13).

Debe haber sentido muchas emociones, como shock, miedo, asombro. Tantas maneras diferentes de reaccionar al nacimiento de un hijo. Pero después, el ángel continuó diciendo otras cosas espeluznantes y asombrosas de su hijo: que él será un gran hombre frente al Señor, hará que muchos israelitas sigan al Señor, y preparará a un pueblo bien dispuesto para recibir al Señor (Lucas 1:15-17). No solo Zacarías sería bendecido con un hijo, pero este hijo ayudará a llevar a los demás al Señor.

Puedes tener momentos en tu vida cuando oras por mucho tiempo y no recibes una respuesta de Dios. Pero espero que no dejes de orar. Dios escucha tus oraciones. Recuerda que los tiempos de Dios son diferentes a nuestros tiempos. Y recuerda que Dios puede responder a tus oraciones en una manera diferente de la que pensabas—en una manera que es mejor de lo que imaginabas, como lo hizo por Zacarías. Continúa orando, Dios te escucha.

Padre celestial, gracias por siempre escuchar a mis oraciones. Ayúdame a nunca dejar de orar y recuérdame que siempre estás conmigo. Amén.

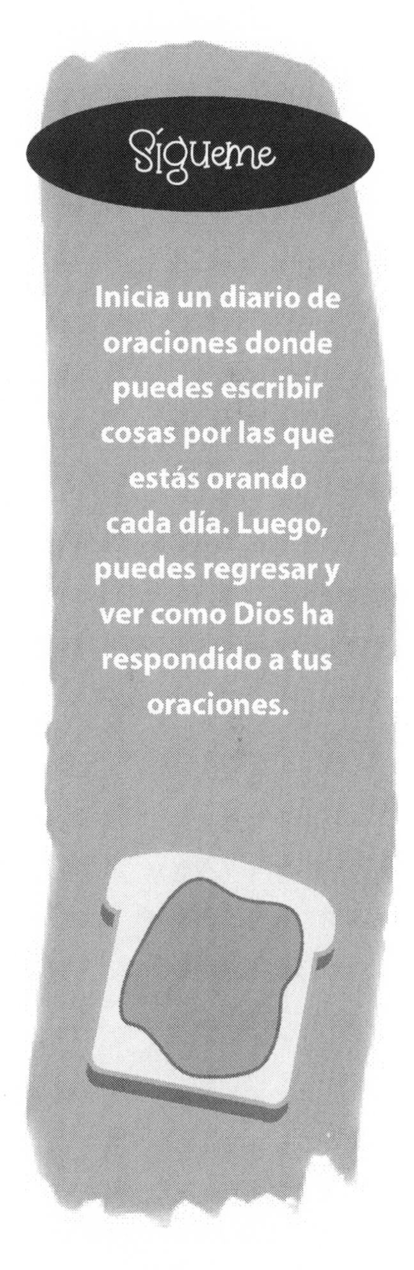

3

El favor de Dios

Lucas 1:26-30

"No tengas miedo, María; Dios te ha concedido su favor —le dijo el ángel—." Lucas 1:30

¿Sabes lo que se siente ser favorecido por alguien? Ser favorecido significa que tienes su apoyo o su aprobación. Puedes tener el favor de tus padres, tus entrenadores, tu maestro, o tus amigos. Se siente bien saber que tienes el apoyo de alguien y que te quieren.

Ahora, toma este sentimiento que tienes cuando te sientes favorecido por alguien y multiplícalo por un billón. Debe haber sido como se sintió María cuando el ángel Gabriel vino a visitarla y le dijo que ella iba a recibir el favor de Dios.

Primero, ¡que susto tener una visita de un ángel! Puedo imaginar como se sintió en ese momento. Pero aun más susto al oír al ángel decir: "¡Te saludo, tú que has recibido el favor de Dios! El Señor está contigo" (Lucas 1:28). Habría reaccionado de la misma manera. La biblia NVI dice que María "se perturbó" ante estas palabras (Lucas 1:29). Otras traducciones dicen que ella estaba confundida, perpleja, perturbada, y alterada. Al oír estas palabras de uno de los ángeles de Dios, yo estaría confundida también.

Gabriel notó la expresión en la cara de María y respondió tranquilamente: "No tengas miedo, María; porque has hallado el favor de Dios" (Lucas 1:30). Pero Gabriel no le dijo porque recibiría el favor de Dios y que va a hacer Dios con ella. Esto no viene hasta el verso siguiente, del que vamos a hablar mañana.

María recibió el favor de Dios. Él la eligió. ¿Y sabes que él te ha elegido también? Dios te ha llamado a hacer grandes cosas para Él. No importa para lo que Dios te llamé, recuerda escuchar y obedecer, como lo hizo María.

Padre celestial gracias por conceder tu favor a María. Ayúdame a recordar que me has dado el favor y me has elegido para hacer grandes cosas para ti. Y ayúdame a siempre escucharte. En el nombre de Jesús, amén.

4

Su nombre será

Lucas 1:31-32

"Quedarás encinta y darás a luz un hijo, y le pondrás por nombre Jesús." Lucas 1:31

Me encanta aprender el significado de un nombre de una persona. Cuando me enteré de lo que significaba el mío, pensé que era muy apropiado. El nombre Vanessa significa mariposa en griego. ¿Y sabes una cosa que he amado desde que era niña? ¡Las mariposas! ¡Que nombre tan bueno para mi!

En los versículos siguientes de Lucas 1, vemos al ángel Gabriel entregando las noticias que María quedará embarazada y dará a luz a un hijo. Y entonces el ángel dijo que ella le iba a dar el nombre "Jesús." María no tuvo que tratar de decidir un nombre durante nueve meses. No tuvo que buscar por libros de nombres de bebés para el nombre perfecto. No tuvo que buscar en Google "mejores nombres de bebés." Ni siquiera tuvo que discutir con José. El ángel le dió un nombre. Y era un nombre perfecto. ¿Sabes qué significa "Jesús?" Significa "Salvador." Y eso es exactamente lo que Jesús hizo por nosotros.

Después de que el ángel le dijo que ella tenía que llamarlo Jesús, él le dijo exactamente quien iba a ser Jesús. Será "un gran hombre, y lo llamarán Hijo del Altísimo. Dios el Señor le dará el trono de su padre David" (Lucas 1:32). También dijo que será el Rey de Israel y reinará por siempre.

Por otras escrituras, sabemos que Jesús va a tener muchos nombres. Encontré un articulo en línea que hizo una lista de cincuenta nombres de Jesús. Algunos de estos nombres son: Príncipe de Paz, Poderoso Dios, Santo, Rey de reyes, Creador maravilloso, Manuel, Jehová, Elohim, y muchísimos más.

Cada uno de estos nombres nos traen paz y esperanza. Entonces, la próxima vez que tengas miedo, ansiedad o preocupación, recuerda que el nombre de Jesús significa El Salvador y que Él ha venido a dar la vida eterna a todos los que creen en él. Gracias, Dios, por enviar a Jesús, tu hijo, para ser nuestro salvador.

Dios santo, gracias por Jesús. Ayúdame a recordar su nombre y decir su nombre a todo el mundo. En el nombre de Jesús, amén.

Sígueme

Haz tarjetas de los nombres de Jesús para colocar alrededor de tu casa. Usa los nombres de arriba (y cualquier otro que usted o sus padres puedan pensar) y escríbelos en una tarjeta. Decora la tarjeta y luego cada semana pon una de las tarjetas en tu refrigerador para recordar a tu familia de los nombres de Jesús.

5

La canción de María

Lucas 1:39-56

"Entonces dijo María: 'Mi alma glorifica al Señor, y mi espíritu se regocija en Dios mi Salvador.'" Lucas 1:46-47

¿Qué te gusta hacer cuando estás feliz?

Uno de las cosas que me gusta hacer es cantar y bailar. Mi esposo usualmente me dice que lo hago muy fuerte cuando estoy cantando en la casa. (La mayoría de las veces es porque siempre parece que es cuando está viendo un partido de fútbol americano). También, me gusta cantar en el carro cuando estoy sola. ¡No hay nadie que me diga que deje de cantar! Me encanta cantar, y me encanta alabar al señor a través de canciones de adoración.

Creo que me parezco a María en cuanto a cantar mientras estoy feliz. Después de que Elizabet (su prima) gritó de alegría y le dijo lo bendecida que era, María empezó a cantar. Su canción se conoce como El Magníficat. En esta canción, ella alaba a Dios por lo que ha hecho por ella. Esas alabanzas incluyen: que se sepa que el Señor es más grande que cualquier otra cosa, glorificando su nombre y dándole alabanza, cantando sobre el favor que Dios le ha mostrado. Ella reconoce lo poco probable que ella fuera alguien a quien Dios miraría y usaría para Su gloria. Pero luego se da cuenta rápidamente de que la gente la mirará y verá lo verdaderamente bendecida que ella es.

Habrá momentos en tu vida en los que no puedes creer que Dios te escogió para hacer algo por Él. Podría ser algo grande como escribir un libro o empezar un ministerio por los pobres, o podría ser algo simple como hablar con un amigo de Jesús o invitar a alguien a tu casa a comer. No importa lo que Dios te pida que hagas, hazlo con alegría. Y puedes irrumpir en una canción como María si quieres. No me importaría, e incluso podría cantar junto contigo. Sé como María y alaba a Dios por elegirte a que hagas Su obra en esta tierra.

Dios Altísimo, gracias por ayudarme a ver la alegría que sintió María cuando se dió cuenta de que sería la madre del hijo de Dios. Ayúdame a ser como María y siempre alabarte. En el nombre de Jesús, amén.

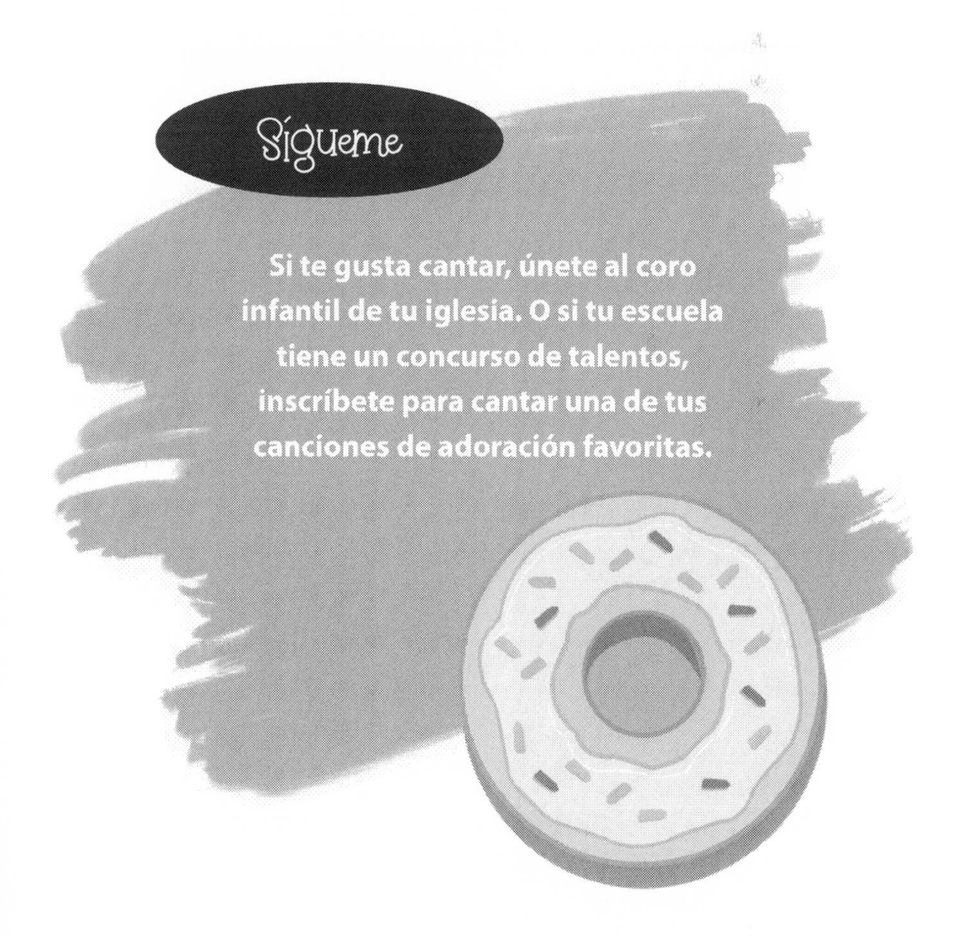

6

El árbol genealógico de Jesús

Mateo 1:1-17

"Tabla genealógica de Jesucristo, hijo de David, hijo de Abraham." Mateo 1:1

Me encantan los arboles genealógicos. Me encanta mirar hacia atrás, a los antepasados de mi familia y ver con quien estoy relacionada. Me parece fascinante rastrear la herencia de mi familia.

Debido a que me encanta mi propio árbol genealógico, me encanta ver el árbol genealógico de Jesús. Mateo comienza su libro rastreando la historia familiar de Jesús. ¿Por qué piensas que hizo esto Mateo? Pienso que era porque él nos quería mostrar que Jesús podría ser conectado hasta el rey David y también hasta Abraham. (Puedes encontrar otro árbol genealógico en Lucas 3 que conecta a Jesús con Adán).

Veamos a los nombres en el árbol genealógico de Jesús. Hay algunos nombres que son difíciles de pronunciar. Escribe algunos nombres que piensas que son difíciles de pronunciar: ____________

____

Puedes estar tentado a saltearte esta parte de Mateo, pero toma unos minutos en buscar algunos nombres que no reconoces y escríbelos aquí: ____

____

Hay personas importantes en el linaje de Jesús. Y tal vez uno o dos que te sorprendan. Una cosa importante de observar es qué Jesús era conocido como el Rey de los Judíos. La única manera de que pudiera ser conocido como el rey en la tierra es si descendiera de una línea de reyes. ¿Y a qué no lo adivinas? ¡Él lo era! Mira el versículo 6. ¿Quién está en su árbol genealógico que está listado como rey? ¡Es el rey David! Y como David era rey, sabemos que los que lo seguían en su árbol genealógico eran reyes también. ¡Jesús vino de una larga línea de reyes!

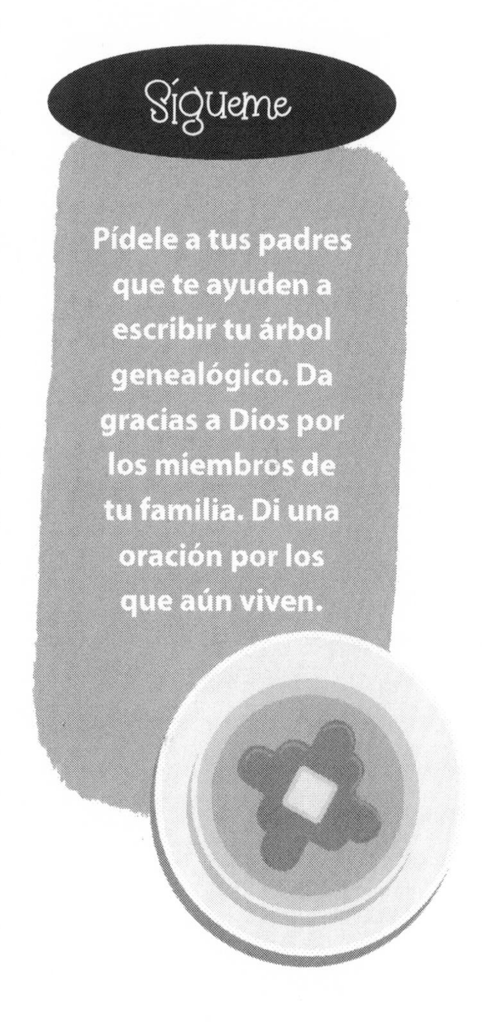

Tal vez tu árbol genealógico no es como lo de Jesús y lleno de gente bien conocida o realeza. Pero tu árbol genealógico es igual de importante. ¿Y por qué es importante? Porque no solo eres un hijo de tus padres, sino que eres un hijo de Dios (1 Juan 3:1). Tienes una familia muy grande porque eres parte de la familia de Dios. Recuerda lo mucho que Dios te ama y te cuida. Y recuerda que Él sabe tu nombre, y sabe todo sobre ti porque te ama.

Dios Amoroso, gracias por mi árbol genealógico. Estoy agradecida de ser parte de tu familia. Ayúdame a seguirte siempre y recordar que me amas. En el nombre de Jesús, amén.

Cazuela de huevos para desayuno

1 paquete de salchicha de puerco al granel
10 huevos batidos
3 tazas de leche
2 cucharaditas de mostaza seca
1 cucharaditas de sal
6 tazas de pan cubierto
8 onzas de queso Cheddar rallado
½ cucharadita de pimiento
½ taza de cebollas verdes en rodajas finas

Precalienta el horno a 325 F. En una sartén grande, cocina la salchicha a fuego medio alto. En un tazón grande, combina los huevos, la leche, la mostaza seca, y la sal. Unta la mitad del pan en un molde de vidrio de 13X9 ya engrasado. Espolvorea con la mitad del pimiento, la mitad del queso, la mitad de la salchicha, y la mitad de las cebollas. Repite las capas. Vierte la mezcla de huevo por la cazuela. Hornea destapado por una hora. Si la cazuela empieza a dorarse demasiado rápido, cúbrela con papel de aluminio y vuelve a colocarla en el horno.

Algo para pensar
¿Qué le servirías a Jesús para el
desayuno si él viniera a tu casa hoy?

7

El sueño de José

Mateo 1:18-25

"Cuando José se despertó, hizo lo que el ángel del Señor le había mandado y recibió a María por esposa."
Mateo 1:24

¿Alguna vez has tenido un sueño donde te despertaste y recordaste cada detalle?

Dios habló con José en un sueño del que leemos en Mateo capítulo 1. Y creo que él se despertó y recordó cada detalle del sueño. ¿Por qué? Porque era un sueño en el que Dios habló con él. José acababa de enterarse de que María estaba embarazada, pero sabía que no era su hijo porque aún no estaban casados. Estaba listo para dejar a María y no casarse con ella.

Pero entonces Dios intervino.

Un ángel apareció frente a José en un sueño. El ángel le dijo que no tenga miedo de casarse con María. Estoy segura de qué José estaba un poco asustado por todo lo que estaba pasando. No quería la atención hacia María, mucho menos hacia si mismo. Me pregunto si pensó en lo que otros dirían de él y de María. ¿Qué pensarían de todo esto?

¿Cuántas veces has tenido miedo de hacer algo porque tienes miedo de lo que la gente pensara si lo haces?

El miedo de lo que otras personas piensan me ha prevenido a seguir adelante algunas veces. No quiero sobresalir de la multitud. No quiero que la gente hable de mí o se burle de mí o que pregunte por qué estoy haciendo algo. Solamente quiero formar parte del todo.

He tenido que enfrentar miedos en mi vida también. Dios me ha mostrado que sólo hay una persona por la que tengo que preocuparme por complacer en mi vida y esa es Él. No me importan las opiniones de otras personas. Sólo la de Él.

Si te enfrentas a una situación donde tienes miedo, especialmente de lo que pensarán otras personas, te aliento a que te liberes. Recuerda qué Jesús está contigo. Y pide a Dios a que te ayude a ser audaz para hacer lo qué él quiere que hagas, no importa lo que digan los demás.

Padre, ayúdame soltar del miedo del que dirán y caminar con valentía en mi fe. Dame el mismo valor que le diste a José. En el nombre de Jesús, amén.

Sígueme

Sobresalta de la multitud hoy. Sé audaz y comparte el amor de Jesús. Podría ser algo como jugar con alguien con quien nadie quiere jugar en el recreo. O tal vez podrías destacarte hoy en casa por ser amable con tu hermano o hermana (tal vez incluso ofreciéndote hacer una de sus tareas por ellos).

8

Mi hijo, el Salvador

Mateo 1:20-21

"Dará a luz un hijo, y le pondrás por nombre Jesús, porque él salvará a su pueblo de sus pecados."
Mateo 1:21

Tengo dos hijas. Como su mamá, estoy muy orgullosa de ellas. Estoy orgullosa de lo bien que andan en la escuela, de lo duro que trabajan en jugar al futbol, de lo amables que son con sus amigos, y de cómo aman a Jesús y muestran su amor a los demás. ¿Qué puedo decir? Soy una mamá orgullosa.

¡Y yo sé que tus padres están orgullosos de tí también! Estoy segura que haces y dices cosas buenas y haces que tus padres estén tan orgullosos de que sean sus hijos. (Vete ahora mismo y dale a tu mamá o papá un gran abrazo y diles gracias por ser un padre impresionante).

Creo que José debe haber estado un poco orgulloso cuando se enteró de que Jesús iba a ser su hijo en la tierra. Recuerda que José estaba casi listo para dejar a María, pero un ángel vino a visitarlo en un sueño. El ángel dijo las palabras que encontramos en el versículo anterior en Mateo 1:21: "Dará a luz un hijo, y le pondrás por nombre Jesús, porque él salvará a su pueblo de sus pecados."

¿Puedes imaginar lo que José debe haber estado pensando cuando se despertó de ese sueño? *Mi hijo, a quién estoy criando, ¡Va a ser el Hijo de Dios y Él va a salvar a todo el mundo de sus pecados! ¿Cómo es posible? No sé, pero estoy tan orgulloso de ser su padre terrenal. ¡Puedo ser padre del Salvador del mundo!*

Tal vez José no estaba teniendo exactamente esos pensamientos, pero estoy segura que detrás del miedo que tenía dentro de él había gratitud de que Dios lo había escogido para criar a su hijo en esta tierra. Un niño que iba a ser un Salvador para todas las personas. Un niño que iba a ser el Rey de los Reyes, el Señor de los Señores. Y qué padre tan orgulloso sería José.

Padre Dios, gracias por mis padres. Ayúdame a seguir siempre tus caminos y a escucharte. En el nombre de Jesús, amén.

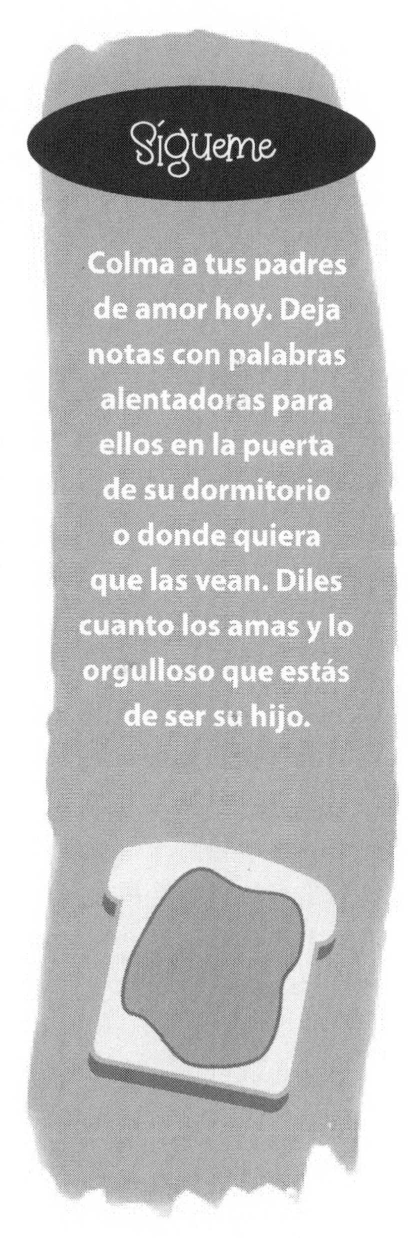

9

La profecía cumplida

Mateo 1:22-23

"Todo esto sucedió para que se cumpliera lo que el Señor había dicho por medio del profeta: 'La virgen concebirá y dará luz un hijo, y lo llamarán Emanuel' (que significa 'Dios con nosotros')." Mateo 1:22-23

¿Alguna vez has tenido que esperar mucho tiempo para que algo suceda? Tal vez tenías que esperar horas o días, o incluso meses o años. Pero no creo que ninguno de ustedes ha tenido que esperar tanto tiempo como los israelitas para que algo suceda.

En los tiempos del Antiguo Testamento la profecía del nacimiento de Jesucristo había sido compartida por el profeta Isaías. Una profecía es algo que describe lo que sucederá en el futuro. ¿Sabías que hubo más de 700 años entre el momento en que Isaías dijo esto y el momento en que Jesús nació realmente? ¡Eso es mucho tiempo!

La profecía de Isaías se encuentra en Isaías 7:14: "Por eso, el Señor mismo les dará una señal: La joven concebirá y dará a luz un hijo, y lo llamará Emmanuel."

Imaginemos por un segundo que fuimos uno de los israelitas. Tal vez estuvimos emocionados por el nacimiento de un Salvador, pero a medida que pasaban los años, tal vez renunciamos a la esperanza de que iba a suceder. ¿Por qué Dios prometió algo si nunca iba a suceder?

Pero finalmente sucedió. María se llenó con el Espíritu Santo y ella concibió y dió a luz a un hijo. Y su nombre fue Emmanuel, que significa "Dios con nosotros." (Recuerda que Jesús tiene muchos nombres que lo describen, y este es uno de ellos).

¡La promesa de Dios se cumple! No estaba bromeando con nosotros. No nos mintió. Cumplió la promesa que hizo hace años. Hizo lo necesario para nosotros. Nos dio un Salvador. Y su nombre es Jesús.

Padre Dios, gracias por la promesa de un Salvador. Gracias por enviar a tu Hijo a la tierra por nosotros. Ayúdanos a seguir siendo fieles en nuestra espera. En el nombre de Jesús, amén.

Sígueme

¿Sabes lo que encuentro muy útil para hacer mientras espero que pase algo? Rezo por eso. Piensa en lo que estás esperando. Tal vez es una nota en un examen, el perdón de tu hermano o hermana, que tus padres te den lo que prometieron, o tal vez la llegada de tu nuevo hermano o hermana. No importa lo que sea, recuerda orar y pedirle a Dios que te ayude a ser paciente mientras esperas.

10

José obedece

Mateo 1:24

"Cuando José se despertó, hizo lo que el ángel del Señor
le había mandado y recibió a María por esposa."
Mateo 1:24

Hay mucha gente que te dice que hacer, ¿verdad? Piensa en quienes son. Tus padres te dicen que hacer, y tienes que escucharlos y obedecer como uno de los Diez Mandamientos. Si juegas un deporte, tu entrenador te dice que hacer, y lo escuchas, especialmente si quieres mejorar. Tal vez tienes algunos amigos o hermanos que les gusta decirte que hacer...que puede estar bien o mal. También tenemos que obedecer la ley, porque está ahí para protegernos y mantenernos seguros. La gente nos dice que hacer porque están tratando de enseñarnos como hacer algo, o porque saben lo que es mejor para nosotros, o porque es la ley y debemos seguirla.

Pero hay alguien a quien debemos escuchar todo el tiempo, y ese es Dios.

En esta escritura en Mateo, la Biblia dice que después de que José despertó de su sueño, "hizo lo que el ángel del Señor le había mandado" (Mateo 1:24). Me pregunto qué estaba pasando por su mente cuando se despertó de su sueño. ¿Cuestionó su sueño? ¿Se preguntó si Dios realmente le había hablado?

No creo que tuviera ninguna duda. Creo que José tenía un sentimiento fuerte de que iba a obedecer a Dios después de que se despertó de su sueño. Creo que sabía con seguridad lo que iba a hacer. Y lo hizo. José tomó a María como su esposa y nombró a su hijo Jesús. José obedeció lo que el Señor le pidió.

¿Has tenido recientemente ese fuerte sentimiento de que Dios te ha pedido que hagas algo? ¿Has escuchado, o has tenido dudas? Si es una cosa grande o una cosa pequeña, te animo a que des ese paso adelante. Confía en Dios y recuerda que todo lo que tenemos que hacer es obedecerle.

Querido Señor, ayúdame a obedecerte en todo lo que hago, si es grande o pequeño. Recuérdame que sabes lo que es mejor para mí y ayúdame a confiar plenamente en ti. En el nombre de Jesús, amén.

Sígueme

Dios dice en los Diez Mandamientos, "Honra a tu padre y a tu madre" (Éxodo 20:12). Hoy, haz que tu misión sea obedecer a todo que tus padres te pidan que hagas. Y hazlo sin quejarte. Definitivamente verás una gran sonrisa en la cara de tus padres cuando haces lo que piden.

11

No había lugar

Lucas 2:6-7

"Y, mientras estaban allí, se cumplió el tiempo. Así que dio a luz a su hijo primogénito. Lo envolvió en pañales y lo acostó en un pesebre, porque no había lugar para ellos en la posada."
Lucas 2:6-7

¿Qué harían tus padres si estuvieran planeando unas vacaciones? Probablemente buscarían en internet o harían llamadas telefónicas e investigar adónde irían. Probablemente una de las primeras cosas que harían es reservar un lugar para alojarse en un hotel o un condominio. Debes tener un lugar para dormir adondequiera qua vayas. No podría imaginar viajar a una ciudad y no saber adonde me alojaría. Pero eso es exactamente lo que hicieron María y José cuando fueron a Belén.

En aquellos días del nacimiento de Jesús no había teléfonos. No había internet. No había un sitio web para usar para obtener la mejor oferta en un lugar para alojarse en Belén. No había una manera de llamar y reservar una habitación por la noche.

Sin embargo, probablemente, la posada en esta historia no era nada como un hotel. Realmente, era una casa. Cuando la gente viajaba, se quedaba en las casas de sus parientes. Uno de los antepasados de José era el Rey David, él era de Belén. Así que podemos asumir con seguridad que había un montón de parientes con quien podrían haberse hospedado. Pero tal vez su viaje tomó mucho más tiempo de lo esperado, como uno pensaría que sucedería cuando se viaja con una mujer embarazada de nueve meses. Entonces cuando llegaron a Belén, los parientes con los que podrían haberse quedado ya tenían gente que se quedaba con ellos. Sus casas estaban llenas y no había una habitación para invitados disponible para ellos.

Pero hubo una casa, una persona, que les dió un lugar para alojarse. No es probable que fuera un establo como pensamos hoy en día. Muchas personas tenían cuevas detrás de sus casas donde los animales se quedaban. Ahí es donde María y José se quedaron por la noche y donde dió a luz al Salvador del mundo.

El mundo no tenía espacio para Jesús esa noche. ¿Y tú? ¿Dejas espacio para Jesús en tu vida? ¿O está tu día lleno de actividades, escuela y diversión que no hay un solo espacio de tiempo dedicado a Jesús? Soy culpable de esto con seguridad. El tiempo pasa, y me olvido a veces de dejar espacio para Jesús. Prometamos el uno al otro que vamos a encontrar el tiempo en nuestro día para pasar con él. Dejemos mucho tiempo para Jesús todos los días.

Jesús, perdóname cuando no paso tiempo contigo cada día. Ayúdame a siempre dejar espacio para ti cada día. Amén.

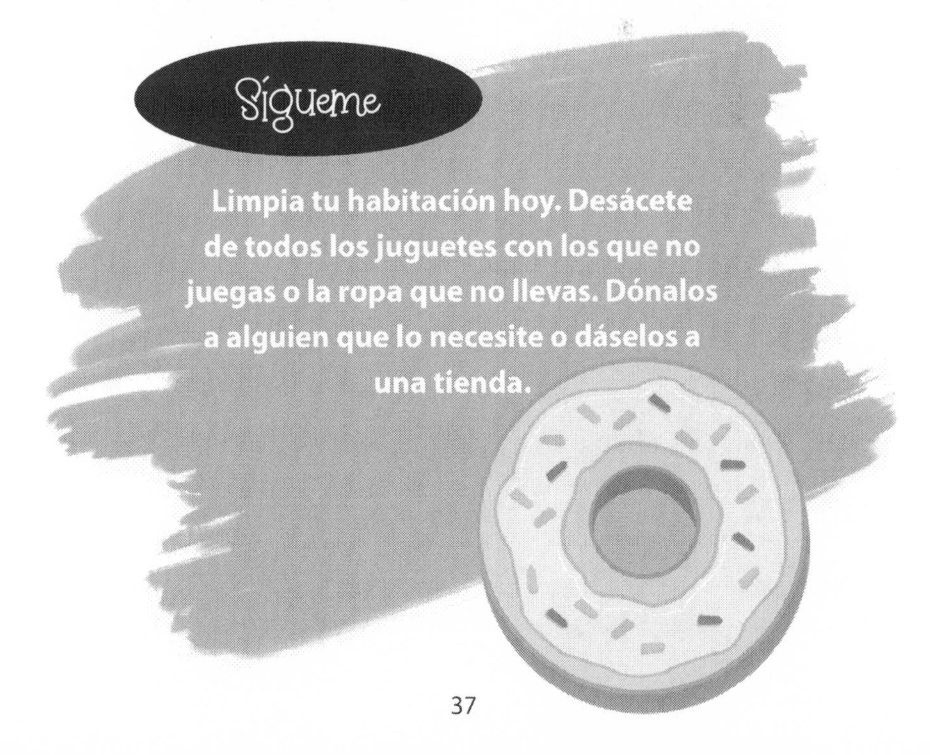

12

El nacimiento de Jesús

Lucas 2:1-7

"Así que dio a luz a su hijo primogénito. Lo envolvió en pañales y lo acostó en un pesebre, porque no había lugar para ellos en la posada." Lucas 2:7

¿Adónde van las madres cuando es hora de que nazca el bebé?

Si dices un hospital, sería correcto. Los hospitales tienen todas las cosas que necesitas para el parto seguro de un bebé: los doctores, las enfermeras, la medicina, las camas, las mantas, las almohadas, la calefacción y el aire acondicionado, incluso una televisión. Sin embargo, en el día en que era la hora de que Jesús naciera, María y José no llegaron a un hospital. No había hospitales en este tiempo. Entonces ¿adónde fue María cuando llegó el momento de dar a luz a Jesús bebé?

Recuerda que finalmente había encontrado un lugar para alojarse. No era exactamente un lugar lindo. Había animales por todas partes y tenía un montón de heno. Estoy segura de que el olor de la cueva era abrumante a veces. No había una cama cómoda para María. No había mantas mullidas ni almohadas. No había calefacción ni aire acondicionado. Y definitivamente no había una televisión. ¡Ni siguiera había una cama de verdad para poner al niño Jesús! No es exactamente un lugar donde uno pensara que el hijo de Dios nacería, ¿verdad?

Pero era el lugar perfecto. El lugar más humilde. Un lugar donde el Salvador del Mundo, el Príncipe de Paz, el Señor de los Señores, el Mesías, el Cristo, vino a estar con nosotros en la tierra. Jesús no necesitaba nada elegante. No necesitaba una cama grande. Ni siquiera necesitaba una habitación real. Entró en el mundo de la manera que Dios quería. De una manera pacifica y humilde.

No puedo pensar en un mejor lugar para el nacimiento de Jesús.

Príncipe de Paz, recuérdame de la manera humilde en que entraste al mundo para que siempre pueda poner las necesidades de otras personas antes que las mías. En el nombre de Jesús, amén.

Sígueme

¿Conoces a alguien que acaba de tener un bebé? Hazles una tarjeta de felicitación y envíasela a ellos. Tal vez incluye una nota para el babé. Algo que él o ella pueda leer cuando se sea más grande.

Salsa cremosa de panecillo

8 onzas de queso crema
½ taza de mayonesa
1 taza de queso suizo rallado
2 cucharadas de cebolla verde en rodajas finas
8 lonchas de tocino
½ taza de galletas Ritz, aplastadas

Deja que el queso crema se ablande. En un tazón mediano, combina la mayonesa, el queso suizo, y la cebolla verde. Añade el queso crema y el tocino cocinado y desmenuzado. Revuelve hasta que esté bien mezclado. Pon la mezcla en un molde para hornear. Espolvoree las galletas aplastadas encima de la mezcla. Hornea a 350 de 20 minutos. Sirve con cualquier tipo de bagel.

Algo para pensar

¿Cuál es una pregunta que siempre has querido hacerle a Jesús?

12

Los pastores y los ángeles

Lucas 2:8-20

"Gloria a Dios en las alturas, y en la tierra paz a los que gozan de su buena voluntad." Lucas 2:14

"¿Hay alguien que me pueda decir de qué se trata la Navidad?"

Esa es la pregunta que hace Charlie Brown en la película La Navidad de Charlie Brown. Charlie quería saber el verdadero significado de la Navidad. Ahí fue entonces cuando su amigo Linus toma el rol central y cuenta la historia que tenemos en nuestra lectura de hoy.

La Navidad no se trata de Santa Claus, las luces, los árboles, los regalos, ni los banquetes. Nuestro mundo ha añadido todas estas cosas al día de fiesta. Y aunque estas cosas son buenas y formas divertidas de celebrar, no son de lo que se trata la Navidad.

La Navidad se trata de celebrar el nacimiento de nuestro Salvador, Jesucristo. Un ángel inició la noche de celebración visitando a los campesinos en el campo que estaban cuidando de sus ovejas. Solo puedo imaginar el miedo que habrán tendio al ver a ese ser celestial que brilló sobre ellos con la luz más grande que habían visto. El ángel les entregó una buena noticia que da gran alegría y les dijo a los campesinos lo que deberían hacer para encontrar al niño que es el Mesías. Entonces, de la nada vino este…

"De repente apareció una multitud de ángeles del cielo, que alababan a Dios y decían: "Gloria a Dios en las alturas, y en la tierra paz a los que gozan de su buena voluntad." (Lucas 2:13-14)

Ver un ángel sería un shock, pero tener una multitud de ángeles debe haber sido aplastante. Y estaban cantando con las voces más bonitas que uno había oído. Esto no era cualquier canción, pero una canción de alabanza. Estaban alabando a Dios y dando la gloria a él. Los ángeles estaban celebrando y alabando el nacimiento de nuestro Salvador. ¡Gloria a Dios!

Dios santo, perdóname cuando estoy tan atrapada en el ajetreo de la Navidad que olvido el significado verdadero. Ayúdame a recordar a Jesús en todo momento. Amén.

Mire La Navidad de Charlie Brown. Memoriza la parte de Linus cuando le dice a todo el mundo sobre el verdadero significado de la Navidad (Lucas 2:8-14). Comparte el mensaje con un amigo hoy.

14

Date prisa, no te demores

Lucas 2:15-18

"Vamos a Belén, a ver esto que ha pasado y que el Señor nos ha dado a conocer." Lucas 2:15b

Yo no soy una persona lenta. Me gusta hacer todo rápidamente: hablo rápido, como rápido, camino rápido. No dejo las cosas para más tarde porque me gusta hacer las cosas rápidamente. Si hay un proyecto para hacer, lo hago. No espero. No me gusta quedarme quieta, siempre me muevo, voy y hago algo. Si me siento durante demasiado tiempo, ¿sabes lo que hago? ¡Me duermo! Mi cerebro y mi cuerpo están conectados para estar en movimiento.

La noche del nacimiento de Jesús, había un grupo de personas que también se movieron rápido y no querían esperar. Esas personas eran los campesinos. El ángel les acababa de dar la buena noticia del nacimiento de Jesús, que es el Mesías. A pesar de su sorpresa, se movieron rápido. Me encanta el hecho de que los pastores no perdieron el tiempo. Los ángeles les acababan de dar la noticia de la llegada del Mesías. No pudieron quedarse quietos y esperar hasta la mañana. Tenían que llegar rápido y ver al bebé recién nacido que iba a salvar a todos.

Después de ver a Jesús, salieron y fueron a contarle a todos. No podían mantener el nacimiento de Jesús en secreto. Esto no era algo que se pudiera guardar para uno mismo. Era un mensaje que todo el mundo necesitaba escuchar. El ángel había dicho que esta noticia era para todas las personas. Dios los escogió para ser los mensajeros y compartir la noticia sobre el nacimiento de Jesús.

Animo a todos a ser como los campesinos. Vayan ahora y díganle a alguien de Jesús. No solamente incluye a tu familia y tus amigos, pero también a la gente que no conoces. A veces no tienes que usar palabras, tus acciones mostraran a Jesús también.

¡Date prisa! ¡No te demores! ¡Ve y dile a alguien sobre Jesús ahora!

Glorioso Padre, ayúdame a no guardar tu mensaje de Jesús para mi. Úsame para ser tu mensajero y deja que otros sepan las cosas increíbles que has hecho por mi. En el nombre de Jesús, amén.

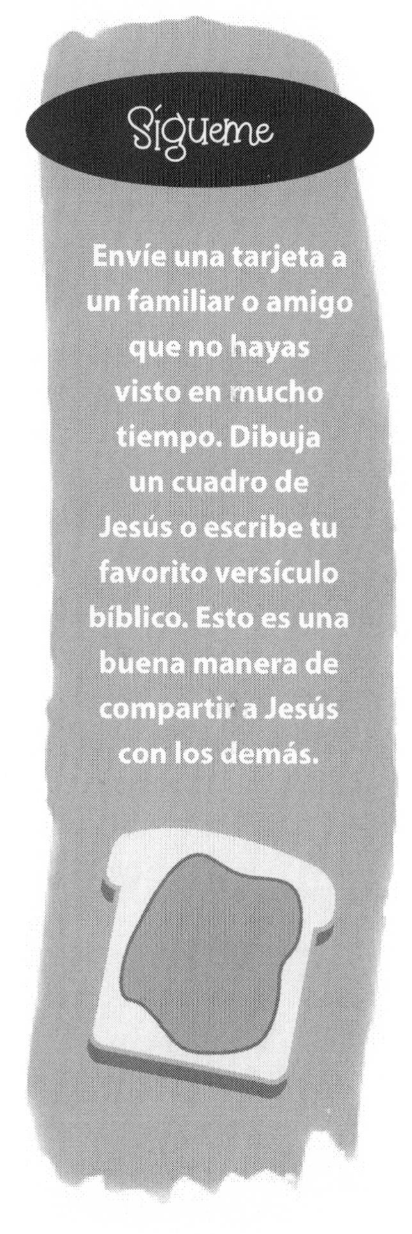

15

La lista de cosas para hacer antes de morir de Simeón

Lucas 2:25-35

"Y le había revelado que no moriría sin antes ver al Cristo el Señor." Lucas 2:26

Es divertido hacer una lista de cosas para hacer antes de morir. He visto niños y adultos escribir una lista de cosas que quieren hacer un día. Algunas cosas en la lista podrían ser lugares a los que quieren ir, visitar todos los estados en los estados unidos, aprender algo nuevo como tocar la guitarra, hacer algo aventurero como el paracaidismo, o tal vez algo simple como alentar a alguien cada día.

La idea de hacer una lista en ese entonces, era algo nuevo, porque no era algo que la gente hacía cuando Jesús nació. Pero si fueras un hombre llamado Simeón habrías puesto en tu lista "ver al Mesías."

La biblia sólo menciona a Simeón una vez. Dice que era "justo y devoto" (Lucas 2:25). Esto significa que él era un hombre de Dios y se dedicó a Él. El espíritu santo había puesto en su corazón que no moriría hasta que hubiera visto a Jesús, el Mesías.

Un día, sintió un impulso de ir al templo. Fue el espíritu santo que le dió esa inspiración. Entiendo que no se suponía que fuera al templo ese día. No sabía lo que iba a pasar. Pero cuando José y María trajeron a Jesús al templo, entonces Simeón tenía que haber estado lleno de alegría. Le dió una mirada y supo que el bebé era el Mesías, el enviado de Dios para salvarnos.

Simeón estaba tan abrumado por la emoción que tomó a Jesús en sus brazos y comenzó a alabar a Dios. Me gusta imaginarme a

Simeón sosteniendo a Jesús en lo alto, bailando alrededor del templo, tal vez incluso balanceándolo de un lado a otro. Dios le había prometido a Simeón que vería al Mesías y que Dios cumpliría su promesa. Ahí sostenía al Mesías en sus brazos alabando al Señor. También, me gusta imaginar que Simeón probablemente dejó caer algunas lágrimas también. Estaba tan contento, y no podía evitar dejar que lágrimas felices rodaran por su rostro.

Dios es aquel que siempre cumple sus promesas. Se puede leer a lo largo de toda la Biblia sobre momentos en que Dios nunca ha fallado y siempre ha cumplido las promesas que hace con su pueblo. La mejor promesa era la promesa de un Salvador. Cumplió esta promesa con el nacimiento de Jesús. Y Simeón fue bendecido por haber llegado a verlo y abrazarlo. Alabado sea Dios.

Señor Eterno, gracias por la promesa de enviarnos a Jesús. Ayúdame a recordar a seguirte siempre y nunca dudar de tu amor por mi. En el nombre de Jesús, amén.

Sígueme

Haz una lista de cosas para hacer sobre tu fé. Escribe cosas que quieres hacer que tienen que ver con Jesús y tu fé. Algunas cosas podrían ser: leer un capítulo de la Biblia cada día, ir a la iglesia cada domingo, cantar en el coro, rezar por otras personas, o ir en viajes de misión.

16

Los sabios

Mateo 2:1-12

"Cuando llegaron a la casa, vieron al niño con María, su madre; y postrándose lo adoraron. Abrieron sus cofres y le presentaron como regalos oro, incienso, y mirra." Mateo 2:11

Cuando una futura madre está esperando la llegada de un nuevo bebé, una de las cosas que hace es hacer una lista de regalos en una tienda. Escoge cosas que quiere para el nuevo bebé. Podría ser ropa, juguetes, un cochecito, una silla infantil, una cuna, barberos, mamaderas, chupetes, y cobijas. Lo hace porque sus amigos darán una fiesta para que reciba regalos para el bebé y los invitados puedan ir a la tienda, mirar la lista de regalos, y comprar las cosas que la futura mamá quiere para su nuevo bebé. Es una gran manera de ayudar a los nuevos padres a prepararse para la llegada de su hijo.

Sabemos que no había lista de regalos cuando nació Jesús. Pero, incluso si María tuviera una lista, estoy segura de que no habría anotado oro, incienso o mirra. ¿Qué harías con esos regalos para un bebé? Esos tres artículos fueron los regalos que trajeron los Sabios (también llamado Magos) a Jesús bebé cuando lo encontraron. Habían oído que había nacido un rey y estaban en una misión para encontrarlo para que pudieran entregar regalos y adorarlo.

Para encontrarlo, siguieron la estrella más brillante en el cielo que aterrizó en una casa en Belén. Cuando llegaron, estaban muy emocionados porque finalmente habían encontrado al Rey de los Judíos. Inmediatamente, se arrodillaron y le mostraron adoración y le presentaron los mejores regalos que podían traer: oro, incienso, y mirra. Eran regalos que sentían que eran aptos para un Rey.

¿Sabías que Jesús era en realidad el regalo de Dios para nosotros? Dios nos envió el mejor regalo de todos. Gracias a Jesús podemos vivir para siempre con Él en el cielo si creemos en Él. Cuando los Sabios vinieron a dar regalos a Jesús, no estoy segura de si entendieron que Jesús era en realidad un regalo para todos nosotros. ¡Pero sabemos hoy que él es el mejor regalo!

Dios de todo, gracias por enviarnos a Jesús. Ayúdame a recordar que Él es un regalo de ti y confiar siempre en Él. Amén.

Sígueme

En una hoja de papel, escribe 3 regalos que puedes dar a Jesús hoy. Algunos de estos regalos pueden ser su corazón, el amor por otras personas, mostrar amabilidad, o ayudar a personas necesitadas. Luego, toma ese papel y ponlo en una caja. Ponlo en tu habitación para recordarte los regalos que le has dado a Jesús.

17

Jesús como niño

Lucas 2:41-52

"Al cabo de tres días lo encontraron en el templo, sentado entre los maestros, escuchándolos y haciéndoles preguntas." Lucas 2:46

¿Alguna vez te has perdido de tus padres? Puede ser un momento aterrador.

Recuerdo una vez cuando era joven que me enojé con mi mamá cuando estábamos de compras en un centro comercial. Decidí dejarla y hacer pucheros. Cuando terminé de hacer pucheros, me di la vuelta y no pude encontrarla. Recuerdo el pánico que sentí cuando no pude encontrarla. Una mujer agradable me vió llorando y me ayudó a encontrarla. Ella estaba en la tienda cerca de donde yo había estado parada. ¡Estaba tan agradecida de reunirme con mi mamá ese día!

Hubo una vez cuando Jesús se separó de sus padres. ¿Piensas que lloró o estaba molesto? Su reacción fue lo opuesto de la mía. No estaba preocupado. Fueron sus padres (María y José) que estaban preocupados. ¡Les tomó 3 días encontrarlo!

¿Y sabes adónde lo encontraron? En el templo escuchando a los maestros y haciéndoles preguntas. Sus padres estaban tan preocupados por él porque no podían encontrarlo, pero cuando lo encontraron, Jesús actuó sorprendido de que estaban preocupados por él. ¿No sabían que estaría en la casa de su Padre?

Después de que María y José encontraron a Jesús, volvió con ellos a Nazaret y fue obediente con ellos. Escuchó y honró a su madre y padre. ¿Y sabes lo que sucedió después de eso? "Jesús siguió creciendo en sabiduría y estatura, y cada vez gozaba más del favor de Dios y de toda la gente" (Lucas 2:52). Más creció Jesús, más sabio se hizo y más cayó en gracia a Dios.

Mi oración por ustedes es que sean obedientes con sus padres. Escuchen lo que dicen. Hagan lo que piden. Los aman y quieren lo mejor para ustedes. Y cuando lo hagan, creo que crecerán en sabiduría, tal como lo hizo Jesús.

Padre Dios, ayúdame a escuchar a mis padres incluso cuando no quiero. Perdóname por las veces en las que soy desobediente con ellos y desobediente contigo. Ayúdame a crecer sabio, como Jesús. Amén.

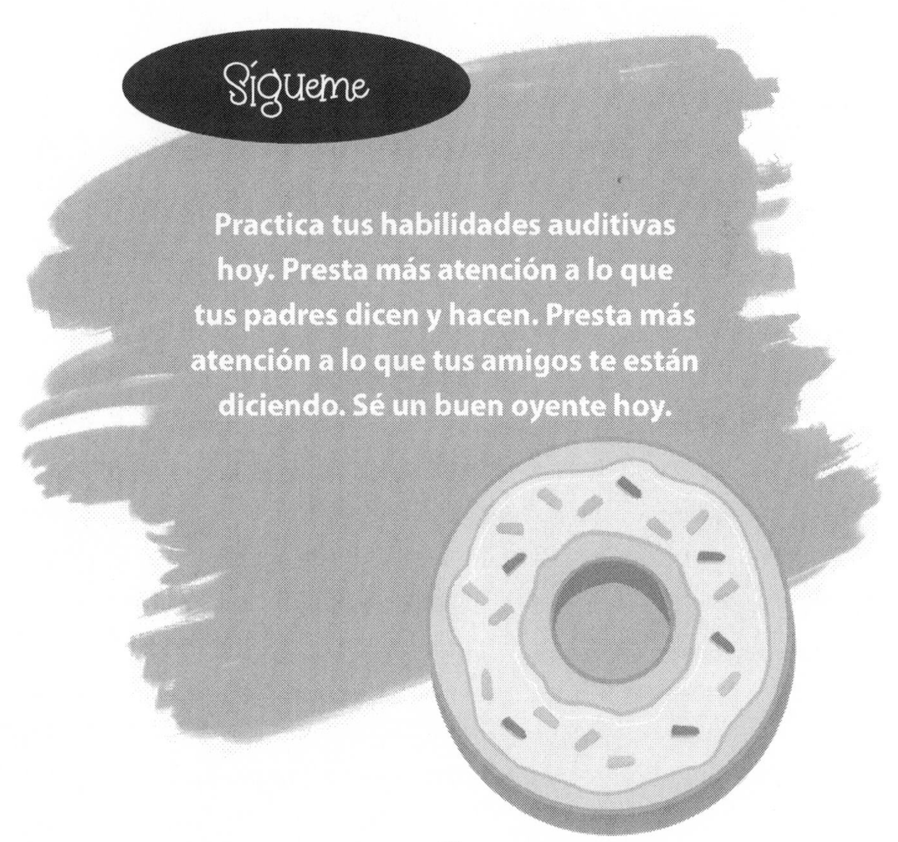

18

Ser un testigo

Juan 1:6-8

"Dios lo envió como testigo para dar testimonio de la luz, a fin de que por medio de él todos creyeran." Juan 1:7

Cuando era niña, mis padres me daban tareas que hacer como lavar los platos, poner la mesa, sacar la basura, y cortar el césped. Puedo recordar que mi mamá tenía que recordarme de hacer estas cosas. No siempre recordaba cuando tenía que hacerlas, probablemente porque no disfrutaba haciéndolas así que simplemente me olvidaba de hacerlas. ¡Pero no te preocupes, mi mamá nunca me dejó olvidar!

Tal vez tienes tareas también. Cosas alrededor de la casa que tienes que hacer. Si eres como yo, tienes varias tareas que hacer. Y no siempre son divertidas, ¿verdad?

Había un hombre que se llama Juan El Bautista que recibió un trabajo de Dios. No tenía trabajos múltiples como nosotros. Solamente tenía un trabajo. ¿Y sabes cuál era su trabajo? Vamos a leer Juan 1:7 para averiguar.

Este versículo dice que Juan vino como testigo para testificar sobre quien era Jesús. Su trabajo era dar a conocer el nombre de Jesús en todo el mundo. Otros versículos de la Biblia dicen que vino a preparar el camino del Señor. Él estaba haciendo saber a todo el mundo que el Mesías (Jesús) iba a venir. Los judíos habían estado esperando hace mucho tiempo por el Mesías. Habían pasado 700 años desde que Dios había hablado a través de Isaías y prometido que enviaría a Jesús a la tierra. Tal vez algunas personas habían renunciado a la esperanza de que Dios cumpliría su promesa.

Pero Dios cumplió su promesa, porque Jesús nació en la tierra. Y Dios le dió a Juan El Bautista el trabajo de hacer saber a todos que Jesús venía. ¡Su ministerio en la tierra estaba por comenzar pronto, así que prepárate! ¿Te alegras de que Juan escuchara a Dios y que hiciera el único trabajo que Dios le pidió?

Dios eterno, gracias por enviar Juan El Bautista a preparar el camino del Señor. Ayúdame a ser como él y ser testigo a otras personas y dejar que los demás sepan de ti. En el nombre de Jesús, amén.

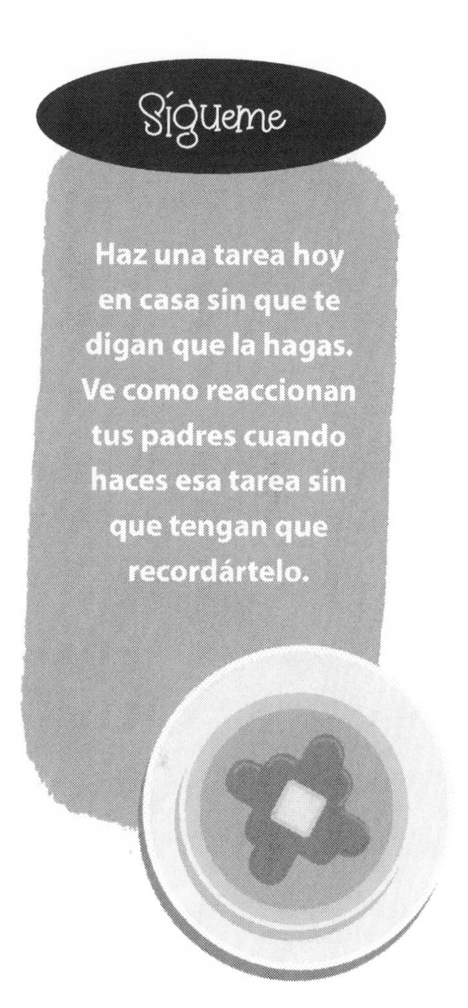

Pan de mono

2 latas de galletas enlatadas	1 ½ taza de azúcar
2 cucharaditas de canela	1 palo de mantequilla

Corta las galletas en cuartos. En un tazón de mezclar, añade las galletas, ½ taza de azúcar, y una cucharadita de canela. Agita la mezcla hasta que las galletas estén bien recubiertas.

Engrasa un molde con mantequilla o spray. Añade las galletas recubiertas.

Derrite la mantequilla. Combina con una taza de azúcar y una cucharadita de canela. Viértelo sobre las galletas en el molde.

Hornéalo a 350 grados F por 35 minutos. Enfría durante unos minutos y luego saca el pan del molde y sirva caliente.

Algo para pensar

¿De qué manera ha bendecido Dios tu vida con la risa esta semana?

19

El Bautismo de Jesús

Mateo 3:13-17

"Y una voz del cielo decía 'Éste es mi Hijo amado; estoy muy complacido con Él.'" Mateo 3:17

¿Te sientes bien cuando tus padres te dicen que están contentos contigo o están orgullosos de ti? Pienso que seguro dices que te encanta cuando te dicen esto. A todos nos gusta tener la aprobación de nuestros padres. Y a todos nos gusta que nuestros padres estén satisfechos con todo lo que hacemos.

Leamos sobre este tema en el tercer capítulo de Mateo cuando Jesús crece y era hora de que comenzara su ministerio. Recuerda que Juan El Bautista estaba preparando el camino para que Jesús comenzara su ministerio y haciendo saber a todos que Él venía. Antes de que Jesús comenzara su ministerio, quería ser bautizado por Juan El Bautista. Encontró a Juan en el río Jordán y le pidió que lo bautizara. Por supuesto, Juan no se sentía digno de bautizar a Jesús. ¡De hecho, le pidió a Jesús que él lo bautizara! Pero Jesús le dijo a Juan que necesitaba ser bautizado.

Tan pronto como Jesús salió del agua, leemos "en ese momento, se abrió el cielo, y él vió al Espíritu de Dios bajar como una paloma y posarse sobre Él" (Mateo 3:16).

Entonces sucedió lo siguiente, la voz de Dios vino del cielo y todos escucharon estas palabras: "Éste es mi Hijo amado; estoy muy complacido con Él" (Mateo 3:17).

Quiero imaginarme que cuando Jesús oyó estas palabras habladas por Dios, una gran sonrisa llenó su rostro. Su Padre Celestial acababa de decir que estaba contento con él. Creo que sintió el amor de su Padre ese día y eso lo hizo sonreír. Sé que yo también estaría sonriendo si yo fuera él.

Recuerda que incluso si tus padres terrenales no te dicen que están contentos contigo, sabes que tu Padre celestial lo está. Dios te ama incondicionalmente, lo que significa que no importa lo que hagas, él siempre te amará. A veces ayuda decir las Escrituras en voz alta para realmente pensar en ello, así que di este versículo, pero inserta tu nombre.

Este es mi (hijo/hija), (tu nombre), amado/a, estoy muy complacido en (él/ella).

Espero que al decir este versículo en voz alta, ¡sepas que eres amado por Dios y que Él está complacido contigo!

Padre Dios, gracias por mis padres. Ayúdame a recordar que no importa lo que digo o haga, me amas y estás complacido conmigo. Te amo, Dios. Amén.

¿Qué podrías hacer para hacer felices a tus padres? Tal vez podrías limpiar tu cuarto, compartir tus juguetes con tus hermanos, ser amable con tus hermanos, o incluso ser educado y mostrar buenos modales. Lo que creas que les agradaría hoy, hazlo.

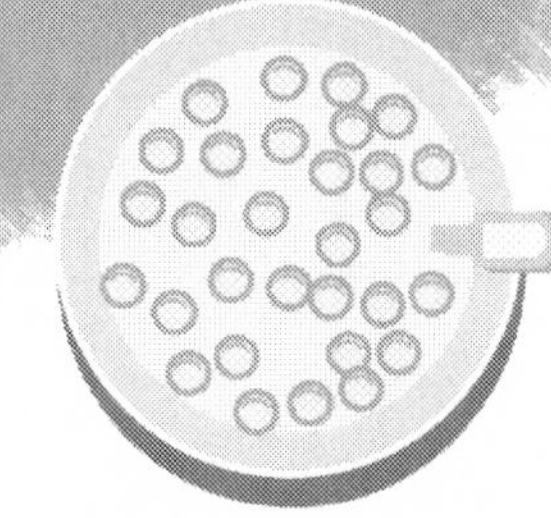

20

En el desierto

Mateo 4:1-11

"Luego el Espíritu llevó a Jesús al desierto para que el diablo lo sometiera a tentación."
Mateo 4:1

¿Cuáles son algunas de las cosas por las que te tientas? Tal ves estás tentado de comer una bolsa de 5 libras de dulces. Tal vez no estudiaste para un examen y estás tentado a mirar al papel de tu amigo para ver las respuestas para obtener una buena nota. Tal vez estás tentando a golpear a tu hermano porque está siendo malo contigo. Tal ves estás tentado a no hacer lo que pidieron tus padres porque estás preocupado con un videojuego. Estamos tentados a hacer tantas cosas. ¿Cuántas veces haces las cosas que te tientan?

Recuerda nuestra última devoción que Jesús fue bautizado por Juan Bautista. Directamente después de esto, va al desierto donde Jesús ayuna durante cuarenta días y cuarenta noches. Este tipo de ayuno que hizo significa que no comió ningún alimento. En su lugar, pasó su tiempo centrado en Dios y oró. Después de que el ayuno había terminado, Satanás vino a tentarlo. Básicamente, Satanás estaba tentando a Jesús a alejarse de Dios y en su lugar seguirlo a él, a Satanás.

¿Sabes cómo Jesús combatió esa tentación y en su lugar mantuvo su enfoque en Dios?

Cada vez que Satanás lo tentó a hacer algo, Jesús se defendió con la palabra de Dios. Después de que Satanás lo tentara, Jesús decía: "Escrito está." Eso significa que lo que está a punto de decir está escrito en la Biblia. Jesús luchó contra la tentación con las Escrituras. ¿y adivinen qué? Satanás lo dejó solo y se alejó de él porque Satanás no ganó. (¿Pueden darme un gran festejo y un montón de aplausos?)

Cuando te sientas tentado a hacer algo que sabes que no debes hacer, recuerda que puedes luchar contra esa tentación usando la Palabra de Dios, tal como lo hizo Jesús. Por eso es que es importante leer tu Biblia para que puedas saber lo que Dios está diciendo y lo que quiere que hagas. Aquí tienes un ejemplo:

¿Tienes la tentación de decirle algo feo a alguien que no te gusta? Recuerda Efesios 4:32:

"Más bien, sean bondadosos y compasivos unos con otros, y perdónense mutualmente, así como Dios los perdonó a ustedes en Cristo."

¿Tienes la tentación de darle la espalda a tu amigo porque actuó mal contigo? Recuerda Juan 13:34: "Este mandamiento nuevo les doy: que se amen unos a otros. Así como yo los he amado, también ustedes deben amarse los unos a los otros."

Recuerda leer tu Biblia para que puedas saber lo que dice Dios y luchar contra la tentación.

Señor de todo, ayúdame a hacer lo que quieres que haga. Ayúdame a leer tu palabra todos los días para que pueda acercarme a ti. Gracias por darme la Biblia para que pueda saber más sobre ti. Amén.

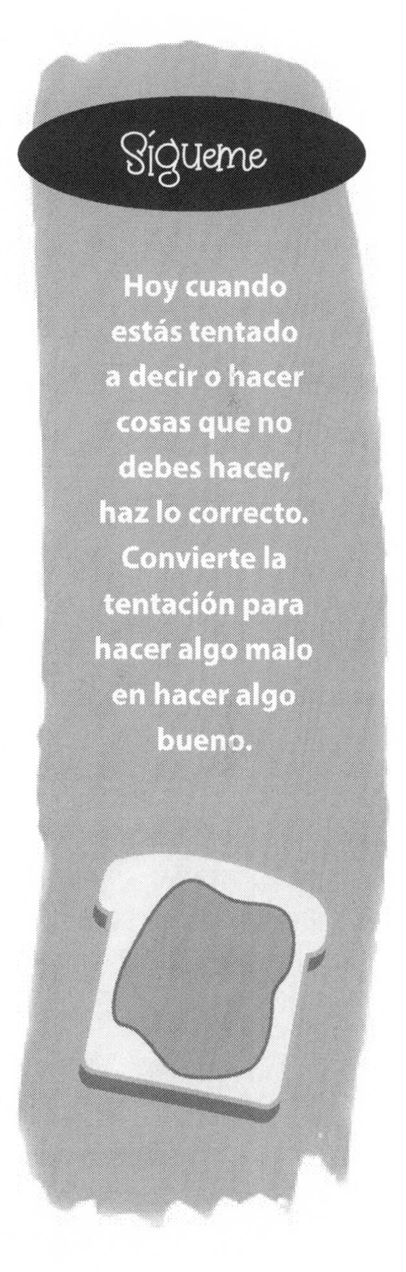

21

Vengan, síganme

Marcos 1:16-20

"'Vengan, síganme' les dijo Jesús, y los haré pescadores de hombres.'" Marcos 1:17

¿Pescar gente? ¿De qué está hablando Jesús?

Este versículo en el libro de Marcos podría hacer que te preguntes por que Jesús les diría a sus discípulos que pesquen gente. No pescas gente; pescas peces, ¿verdad?

Creo que Jesús estaba hablando en el lenguaje de los pescadores. Lo único que sabían hacer era pescar. Sabían exactamente lo que se necesitaba para atrapar un pez. En sus tiempos, no tenían cañas de pescar. Usaban redes, o tal vez lanzas o ganchos también. Ser un pescador es un trabajo muy difícil. No siempre es fácil atrapar un pez.

Jesús sabía que esos hombres tenían lo que necesitaban para ser parte de su misión de atrapar a la gente para Dios. Cuando Jesús dijo que pescarían gente, quiso decir que saldrían y le contarían a la gente acerca de Él, sobre cómo vino a salvarlos de sus pecados, sobre cuanto los ama y como los haría seguir a Dios.

Al igual que era difícil ser pescador, también sería difícil pescar gente. Jesús estaba enseñándoles y mostrándoles lo que significaba vivir para Dios. Jesús vivía su vida de una manera que era un ejemplo no sólo para sus discípulos, sino para todas las personas.

Jesús no solo llamó a los discípulos a seguirlo, sino que también nos llama a tú y a mí. No importa la edad que tengas, Jesús puede usarte para ayudarle a pescar gente. ¡Puedes compartir el amor de Dios con otros en la escuela, en casa, o incluso en la tienda!

No pienses que por ser un niño pequeño no puedes pescar gente. Jesús te llama, mi querido hijo, para que le cuentes a otros sobre Él.

¿Vendrás y seguirás a Jesús conmigo?

Querido Dios, gracias por llamarme para seguirte. Ayúdame a ser un ejemplo para los demás de lo que significa seguirte. Muéstrame a la gente que necesita oír sobre tu amor. Amén.

22

Jesús cambia el agua en vino

Juan 2:1-12

"Ésta, la primera de sus señales, la hizo Jesús en Caná de Galilea. Así reveló su gloria, y sus discípulos creyeron en él." Juan 2:11

¿Has estado alguna vez en una boda en la que se quedan sin comida o bebidas? ¡Solo puedo imaginar lo vergonzoso que sería esto para los novios!

Esto mismo pasó en una boda en la que Jesús estaba asistiendo con sus discípulos y su madre. Se quedaron sin vino. María, la madre de Jesús, le pidió a Jesús que ayudara porque ella creía que podía. Creía en su poder. Sabía que Él podía hacer algo que nadie más podía.

Jesús realizó su primer milagro ese día. Hizo que unos sirvientes llenaran seis tarros de piedra con agua. Cada uno de esos tarros podría contener hasta 20-30 galones de agua (¡Eso es mucha agua!) Los sirvientes lo hicieron. Pero cuando sirvieron las bebidas para los invitados, ya no era agua. ¡Era vino!

¿Sabías que nadie sabía realmente que esto sucedería excepto un pequeño grupo de personas? No fue un milagro donde miles de personas creyeron en Jesús porque lo vieron hacer algo increíble. El primer milagro de Jesús estuvo destinado para que lo vieran solo un pequeño grupo de personas. Y este milagro reveló quienes eran sus seguidores más cercanos—sus discípulos.

Lo que hizo Jesús fue increíble y milagroso. Pero no era hora de que todos supieran exactamente quién era. Realizó un milagro, pero no hizo una gran escena. No gritó a todo el mundo que acababa de salvar a los novios de la completa vergüenza porque se habían quedado sin vino. El milagro que realizó realmente era increíble, pero lo hizo de una manera tranquila porque aún no estaba listo para revelar quién era.

Jesús llama a cada uno de nosotros a ayudarnos unos a otros. Puede ser de maneraa pequeña o grande. Pero una cosa que debemos recordar es que cuando hacemos algo por otra persona, no necesitamos hacer un gran lío al respecto. No necesitamos esperar para asegurarnos de que alguien se dé cuenta de lo que hicimos. No ayudamos a los demás para que podamos ser alabados. Hoy, haz algo para ayudar a otra persona. Y si alguien te agradece o te alaba por ello, di "¡Gracias a Dios!"

Querido Dios, gracias por los milagros que hizo Jesús en la tierra. Ayúdame a mostrar tu amor a los demás y a alabarte siempre por todo. Te amo Seño. Amén.

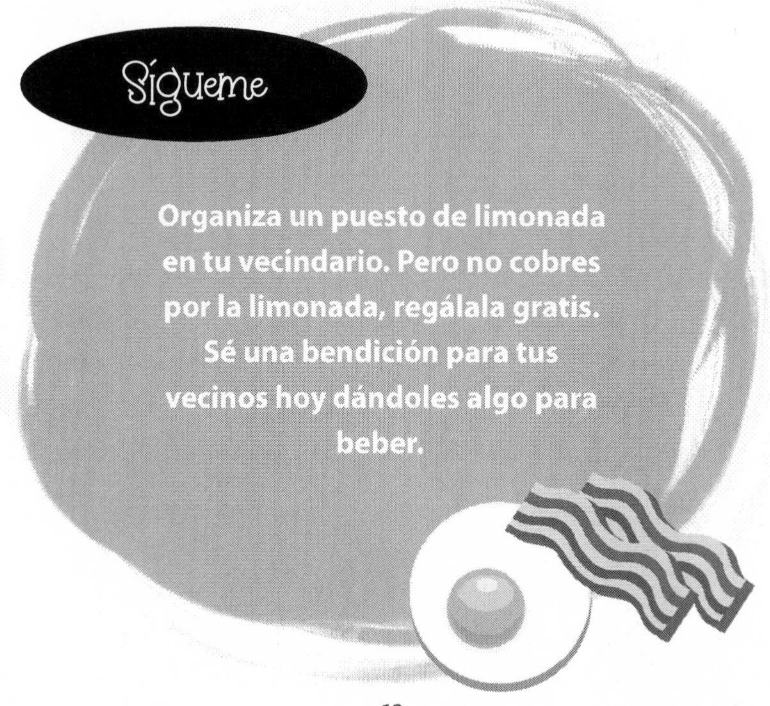

23

Nacido de nuevo

Juan 3:1-21

"Porque tanto amó Dios al mundo, que nos dió a su único Hijo, para que todo el que crea en él no se pierda, sino que tenga vida eterna." Juan 3:16

En Juan capítulo 3, encontramos a Jesús hablando con un fariseo (un líder religioso) llamado Nicodemo. Nicodemo tenía unas preguntas que quería hacerle a Jesús, pero no pudo durante el día porque tenía miedo de sus compañeros. Podrían castigarlo si lo veían hablando con Jesús. Así que vino de noche y le dijo a Jesús que él sabía que era el Hijo de Dios.

Entonces Jesús dijo a Nicodemo: "De veras te aseguro que quien no nazca de nuevo no puede ver el reino de Dios" (Juan 3:3). Esto confundió Nicodemo. No podía entender cómo alguien podía nacer por segunda vez.

Jesús continúa explicando que no quería decir que una persona pudiera nacer físicamente por segunda vez. Estaba hablando de nacer de nuevo en el espíritu. Y ser nacido de nuevo en el espíritu significa hacer exactamente lo que dice Juan 3:16. Cuando creemos que Jesús es el hijo de Dios, que vino a esta tierra para morir por nuestros pecados, y que nos perdona todas las cosas malas que hemos hecho, entonces recibiremos la vida eterna. Y esa vida eterna significa que cuando muramos, iremos al cielo y viviremos para siempre con Dios.

La decisión de aceptar a Dios y seguirlo es la decisión más importante que jamás tomarás. Afecta tu vida después de salir de esta tierra. Rezo que cada uno de ustedes tome esa decisión de aceptar a Jesús como su Salvador. Quiero ver a cada uno de ustedes en el cielo un día. Quiero pasar la vida eterna con todos ustedes. ¡Y Dios quiere estar para siempre contigo y todos sus hijos!

Por eso es tan importante contarles a los demás acerca de Jesús y Su amor por ellos. Queremos que todos en esta tierra sepan lo increíble que es Dios y lo asombroso que es Jesús, que vino a salvarnos para que pudiéramos vivir para siempre con Él. ¡Sal hoy y cuéntale a alguien más sobre Jesús!

Padre Dios, estoy tan agradecido de que Jesús haya venido a morir por todos nosotros para que pudiéramos vivir para siempre contigo. Ayúdame a compartir ese mismo amor con otra persona hoy. En el nombre de Jesús, amén.

24

La mujer en el pozo

Juan 4:1-26

"'Todo el que beba de esta agua volverá a tener sed' respondió Jesús, 'pero el que beba del agua que yo le daré no volverá a tener sed jamás, sino que dentro de él esa agua se convertirá en un manantial del que brotará vida eterna.'" Juan 4:13-14

¿Alguien te ha ofrecido alguna vez una taza de agua de vida? Probablemente no. ¿Cuál sería tu reacción si alguien lo hiciera? Tal vez le pedirías que repitieran lo que dijeron porque querrías asegurarte de que los oiste correctamente. Quizás dejarías un "¿Qué qué?" caer de tu boca. O tal vez les preguntarías educadamente que es "agua de vida" porque no tienes idea de lo que están hablando.

Jesús entró en el pueblo de Samaria y se sentó junto a un pozo. Era alrededor del mediodía y una mujer vino al pozo para extraer agua de él. Le pidió un trago porque tenía sed. Su respuesta fue una sorpresa, por un par de razones. En primer lugar, ella era una mujer y los hombres no hablaban con las mujeres en público a menos que fuera su esposa. Segundo, Jesús era judío y ella era samaritana. Los judíos y los samaritanos no se llevaban bien. No se gustaban. Entonces, ¿Por qué este hombre estaba hablando con ella? Ella no podía creerlo.

Entonces Jesús le ofrece algo que nadie jamás le había ofrecido antes: agua de vida. Su reacción podría no haber sido la misma que la tuya. Ella le hizo varias preguntas. Sin embargo, nunca preguntó "¿qué es el agua de vida?"

Entonces, ¿qué es el agua de vida? Jesús no está hablando literalmente de agua que está viva y puede respirar. El agua de vida representa a Jesús y su regalo de la vida eterna. Jesús es el agua de vida y cuando lo aceptamos como nuestro salvador, nos da el regalo de la vida eterna. Le dió este regalo de agua de vida a todos. A pesar de que los judíos y los samaritanos no se llevaban bien, no impidió a que Jesús la compartiera con ellos. Quiere que todos en el mundo lleguen a creer en Él.

¿Y sabes qué? Ese día, la mujer samaritana en el pozo con Jesús aceptó el agua de vida y su regalo de vida eterna. ¡Es increíble!

Agua de vida, gracias por el regalo que me has dado. Ayúdame a compartir este agua viva con todos los que conozco para que puedan llegar a conocerte como te conozco. En el nombre de Jesús, amén.

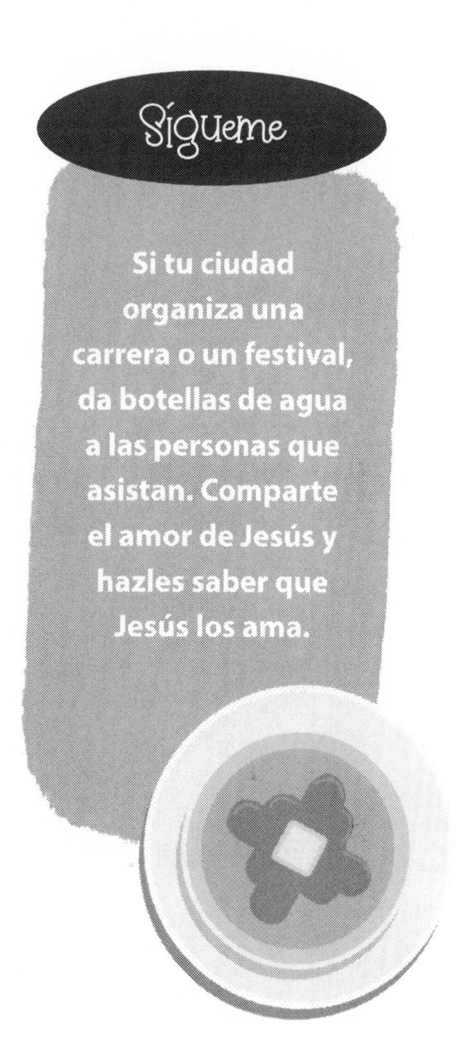

Bolitas de salchichas

1 ½ tazas de Bisquick
1 libra de salchicha
16 onzas de queso cheddar afilado, rallado

Combina todos los ingredientes en un tazón. Se puede añadir más Bisquick si te gusta que tus bolitas de salchicha tengan más empanado. Asegúrate de que se mezcle bien. Enrolle la mezcla en bolitas. Coloca en una bandeja para hornear y hornéa a 375 grados durante 10-12 minutos o hasta que estén doradas.

Algo para pensar

¿Cuál es tu libro favorito de la Biblia y por qué?

25

El primer evangelista

Juan 4:27-42

"Muchos de los samaritanos que vivían en aquél pueb-lo creyeron en él por el testimonio que daba la mujer."
Juan 4:39

¿Qué tan genial sería si una persona llegara a creer en Jesús por lo que le dijiste? Tal vez le contaste sobre una manera en la que él te ayudó en tu vida, o incluso le contaste una historia sobre Jesús que está en la Biblia. No importa lo que le cuentas, si llega a creer en Jesús por lo que dijiste, creo que te sentirías tan feliz—desbordante de alegría por la forma en que Dios te llevó a compartir Su amor con esa persona.

Pues, eso es exactamente lo que sucedió en la historia que leímos ayer de la mujer en el pozo. Estaba tan emocionada por todas las cosas que Jesús le había dicho acerca de sí misma (versículos 15-19) que tenía que decirle a otra persona.

Asi que regresó a su pueblo para compartir sobre Jesús. Estaba tan emocionada que dejó su jarra de agua, la única cosa por la que vino al pozo. Luego procedió a decirle a todos todo lo que Jesús le dijo. Y por lo que dijo, ellos también creyeron en Jesús. No tenían que ver a Jesús y escucharlo por si mismos, pero creyeron debido a su testimonio. ¡Eso es genial!

Ella es la primera evangelista (una persona que comparte testimonios e historias sobre Jesús). Ni siquiera los discípulos le habían contado a la gente acerca de Jesús todavía. Acababan de seguir a Jesús, aprender de El y escucharlo para enseñarle a los demás. Por lo tanto, la mujer en el pozo fue la primera persona en compartió Jesús con otras personas.

Los samaritanos también querían conocer a Jesús, así que ella los llevó de vuelta al pozo y les enseñó algo más. Y dice que aún más personas llegaron a creer en El también. ¿Ves lo efectiva que puede ser una persona? Todo lo que se necesita es compartir tu fe en Jesús y eso comienza un efecto dominó. Y sigue yendo y sin dejar.

No guardes tu fé en Jesús para ti mismo. Compártela y ayuda a otros a conocer a Jesús también.

Padre Dios, gracias por dar tu vida por mi. Dame el valor de compartir sobre tu amor con los demás. En el nombre de Jesús, amén.

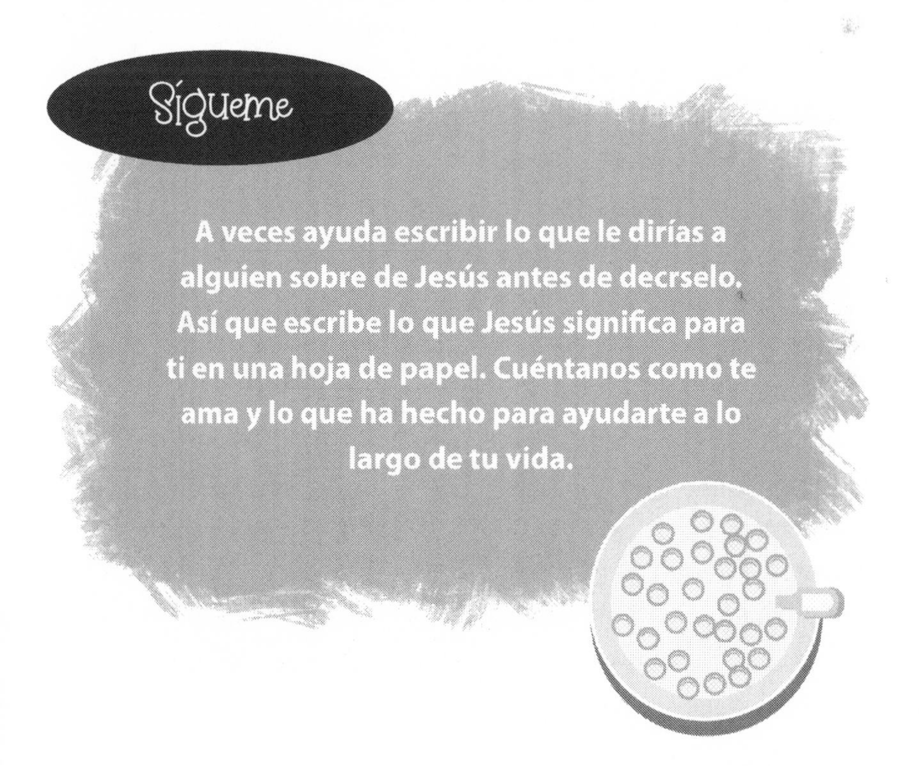

Jesús sana a los enfermos

Mateo 4:23-25

"Jesús recorría toda Galilea, enseñando en las sinagogas, anunciando las buenas nuevas del reino, y sanando toda enfermedad y dolencia entre la gente." Mateo 4:23

No es divertido estar enfermo, ¿verdad? No me gusta ir al médico, pero a veces tienes que ir si quieres mejorar. Un médico descubre cual es tu enfermedad y la trata con medicamentos para que te sientas mejor.

En la época en que Jesús estaba en la tierra, había médicos, pero no tenían una comprensión tan grande del cuerpo humano y de todas las enfermedades como tenemos hoy en día. La capacidad para tratar enfermedades probablemente era más limitada de lo que es para un médico hoy en día. La medicina ha recorrido un largo camino desde los tiempos bíblicos.

Te puedes imaginar entonces que cuando se corrió la voz de que Jesús podía sanar a la gente al instante, multitudes de personas lo buscaron para que pudieran ser sanados. Mateo 4:24 dice que "su fama se extendió por toda Siria, y le llevaban todos los que padecían de diversas enfermedades, los que sufrían de dolores graves, los endemoniados, los epilépticos y los paralíticos, y él los sanaba."

Cualquiera con cualquier tipo de enfermedad acudía a Él para que pudieran ser sanados. Y no estamos hablando solo de unas pocas personas, pero grandes multitudes de personas. ¡Es mucha gente! Y no hicieron una cita para ser sanados como tenemos que hacer hoy para ver a un médico. Iban a ver a Jesús y Él los sanaba.

Jesús fue compasivo. Cuando vió a las multitudes de personas que venían de todas partes para ser sanadas, no pudo rechazar a ninguno de ellos. Los sanó a todos porque tenía compasión por ellos. Y tiene compasión para ti también. No le gusta vernos no sentirnos bien. Aunque hoy no podemos ver a Jesús, él todavía nos sana. A veces es instantáneo, pero otras veces toma tiempo.

Jesús usa médicos y enfermeras para sanarnos hoy, así como también medicinas. Jesús es nuestro gran médico y todavía está curando a la gente hoy en día. Estoy muy agradecida por Su cuidado por nosotros.

Gran médico, gracias por curarme cuando estoy enfermo. Gracias por los médicos y enfermeras que me proporcionas para traerme sanación. Ayúdame a sentirte cerca de mi cuando no me siento bien. En el nombre de Jesús, amén.

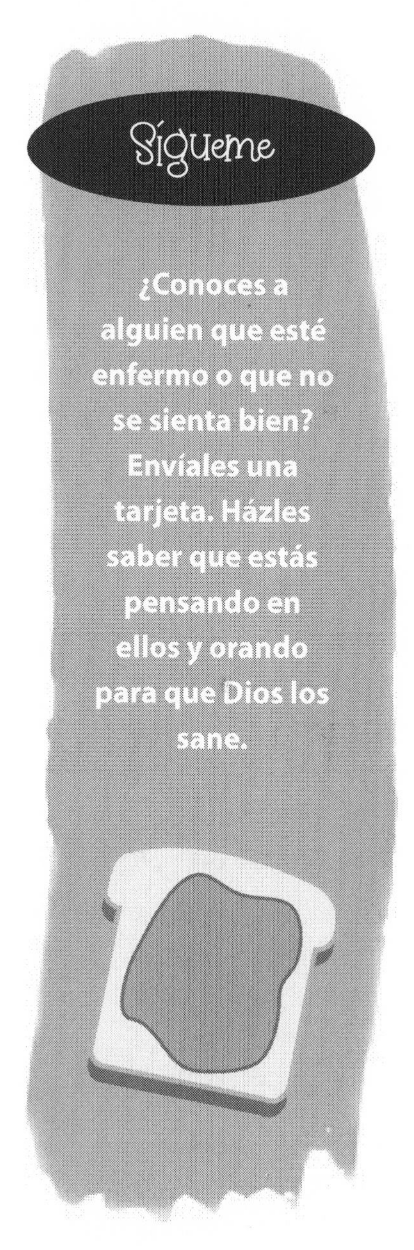

27

Jesús ora solo

Marcos 1:35-39

"Muy de madrugada, cuando todavía estaba oscuro, Jesús se levantó, salió de la casa y se fue a un lugar solitario, donde se puso a orar." Marcos 1:35

¿Puedes imaginar esta escena en tu mente? Es temprano en la mañana. Demasiado pronto para que alguien esté haciendo algo. Pero Jesús está despierto. Se levantó y salió de la casa. Tal vez tenía hambre y quería encontrar comida. Tal vez no podía dormir y sólo necesitaba dar un paseo. Tal vez no quería estar en la casa.

En realidad, ninguna de estas cosas es la razón por la que Jesús salió de la casa esa mañana. Se fue porque quería estar solo para hablar con Dios. Sólo quería rezar.

Creo que podemos aprender algo aquí de Jesús. Hay momentos en los que necesitamos pasar tiempo a solas con Dios. Solamente Él y nosotros. Y eso significa tener que apagar todas esas cosas que nos distraen: videojuegos, televisión, celulares, y tabletas. Estas cosas nos mantienen ocupados y nos quitan la atención hacia Dios.

Tienes que encontrar un lugar en tu casa (o tal vez afuera) donde puedas estar solo con Dios. Sólo ustedes dos. Nada que te distraiga. Y sólo hablar. Dile a Dios lo que tienes en tu corazón. Comparte con Él las cosas buenas y las cosas malas. Quiere que hables con Él. Y recuerda que cuando hablas con Él, te oye. Dios siempre está escuchando.

Querido Dios, gracias por el ejemplo que Jesús me da. Ayúdame a pasar tiempo contigo todos los días. Gracias por escucharme siempre y escuchar mis oraciones. En el nombre de Jesús, amén.

Sígueme

Comenzar el dia con Jesús es una gran manera de ayudarte a superar el día. Si no eres una persona de la mañana, haz un esfuerzo en poner tu alarma para tener tiempo suficiente para que puedas pasar tiempo con Jesús antes de que te prepares para la escuela. Intenta despertarte temprano durante una semana y ve como te va. Puede parecer temprano para tí, pero te prometo que cuanto más lo haces, más fácil será levantarse.

28

Porque tú lo dices

Lucas 5:1-11

"'Maestro, hemos estado trabajando duro toda la noche y no hemos pescado nada' le contestó Simón, 'Pero como tú me lo mandas, echaré las redes.'" Lucas 5:5

¿Qué pasa si intentas hacer algo de una manera y no funciona? Tal vez lo intentas de nuevo, pero después de un par de veces, ves que no va a funcionar, y te rindes. ¿Qué sentido tiene hacerlo de esa manera si no va a funcionar, ¿verdad?

En Lucas capítulo 5, obtenemos más detalles sobre el día en que Jesús llamó a sus discípulos para que lo sigan a "pescar gente". Simón Pedro, Andrés, Santiago, y Juan estaban en la orilla del mar de Galilea limpiando sus redes. Jesús subió a bordo y le pidió a Pedro que sacara el bote al agua para que pudiera enseñarle a la gente. Después de terminar, le pidió a Pedro que tirara su red del otro lado del barco para atrapar algunos peces.

Pero Pedro y sus amigos habían estado trabajando duro todo el día y la noche y no habían atrapado nada. ¿Por qué volverían a tirar su red sobre el barco cuando acababan de pasar todo el día haciendo eso sin obtener nada?

Sin embargo, Pedro nos sorprende y acepta hacer lo que Jesús le pidió. Dice cuatro palabras que nos dicen que en realidad va a escuchar lo que Jesús le dijo: "como tú me lo mandas" (Lucas 5:5).

¿Por qué crees que Pedro lo hizo? Creo que es porque había estado escuchando a Jesús enseñar y sabia que era sabio. Había oído y visto que Jesús podía hacer cosas increíbles, así que ¿por qué no darle una oportunidad más (aunque en el fondo pueda haber estado pensando que no era una buena idea).

¿Y sabes que pasó? ¡Pedro atrapó tantos peces que la red comenzó a romperse! ¿Cómo podría ser posible? Había trabajado duro todo el día sin atrapar nada, pero ahora cuando Jesús le dice que lo haga, atrapa más de lo que se red puede manejar. ¡Fue una locura!

Esto es lo que quiero que te quede de esta historia: Jesús te va a llamar a hacer grandes cosas por Él. A veces esas cosas pueden sonar extrañas O incluso podría ser algo que intentaste hacer antes y no funcionó. Pero cuando sientes que Jesús te dice que hagas algo, hazlo. ¿Por qué deberías hacerlo? Porque Él lo dice.

Dios de todo, gracias por llamarme. Ayúdame a escucharte. Ayúdame a no cuestionar lo que me pides que haga, sino que lo haga. Gracias por amarme. En el nombre de Jesús, amén.

Sígueme

Toma papel y un marcador y traza tus pies. En cada pie, escribe cosas que sientes que Jesús te llama a hacer. Estas podrían ser cosas como ser amables, escuchar mejor, leer la biblia, orar más o hacer sonreír la gente. Cuelga esto en tu pared en tu cuarto con un letrero que diga "porque tú lo dices. Lucas 5:5." Ese será un recordatorio visual para que recuerden seguir a Jesús y hacer lo que él te ha llamado a hacer.

Las bendiciones

Mateo 5:1-12

"Cuando vió a las multitudes, subió a la ladera de una montaña y se sentó. Sus discípulos se le acercaron, y tomando él la palabra, comenzó a ensenarles." Mateo 5:1-2

En una de las devociones anteriores, grandes multitudes de personas acudían a Jesús para que pudieran ser sanadas de sus enfermedades. Jesús vió una gran oportunidad ahí para enseñar a estas personas. ¿Cuándo hay grandes cantidades de personas siguiéndote, no querrías usar el tiempo que están contigo para informar a los demás acerca de Jesús?

Jesús reconoció esto como un momento para comenzar una gran enseñanza. Quería que mucha gente llegara a conocer a Dios y lo siguiera. Así que subió a una montaña y comenzó a enseñar lo que hemos llegado ahora a conocer como el sermón en la montaña. Básicamente les estaba enseñando sobre cómo vivir una vida piadosa.

La primera parte del sermón es algo llamamos "Las Bendiciones." Las bendiciones son palabras especiales de Jesús. Explican cómo ser dichosos.[1] En el contexto de las Bendiciones, la palabra Bendito significa "feliz." Jesús quería que esta gran multitud de personas supiera ser verdaderamente feliz.

¿Qué te hace feliz? Tómate un minuto para pensar en ello. Luego, escribe las cosas que te hacen feliz. Saca un lápiz y usa el espacio de abajo para enumerar estas cosas. Por cada uno, también escribe por qué te hace feliz. ¿Cómo te trae felicidad?

---

1 "Did You Know?", NIV Adventure Bible, (Grand Rapids, MI: Zonderkidz, 2013), 1056.

Lo que me encanta de las bendiciones es que comienzan diciendo "benditos son" y luego enumeran el tipo de persona que es bendecida, seguida de cómo son dichosos. Hay ocho Bendiciones enumeradas en el capítulo 5 de Mateo y vamos a echar un vistazo a que significa cada una de ellas en los próximos ocho días. Vamos a descubrir ocho maneras diferentes en que Jesús dice que podemos ser verdaderamente felices. ¿Estás emocionado por eso? ¡yo lo estoy! ¡No puedo esperar para empezar mañana!

Santo Dios, te alabamos por todas las cosas. Gracias por darme a Jesús para enseñarme los caminos para ser verdaderamente bendecido y feliz en esta vida. Abre mi corazón para oírte hablarme todos los días. Amén.

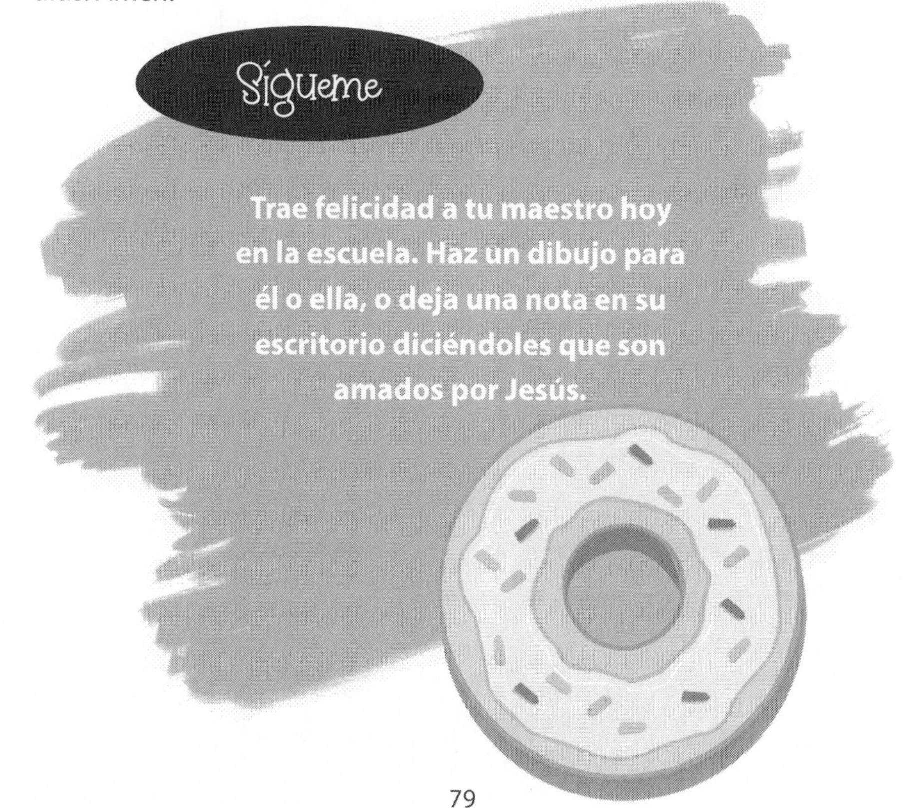

30

Dichosos los pobres de espíritu

Mateo 5:3

"Dichosos los pobres en espíritu, porque el reino de los cielos les pertenece." Mateo 5:3

"No tenemos comida en la casa. ¡Somos tan pobres!"

Estas fueron las palabras que mi hija dijo un día mientras buscaba algo para comer en el refrigerador y la despensa. Solo sacudió la cabeza mientras ella lo decía. Porque había comida en la casa, simplemente no era el tipo de comida que le gustaba o ansiaba comer en este momento. Inmediatamente comencé a explicarle que no puede imaginar lo que es ser pobre y no tener nada de comer.

¿Has dicho eso alguna vez? Estoy seguro de que a veces cuando tus padres no te compraron algo que querías, o cuando tus padres te dijeron que no podían pagar por algo. Y tal vez fueron como yo y tuvieron que explicarte lo que realmente significaba ser pobre.

En esta primera bendición de la que habla Jesús, dice que los pobres de espíritu son dichosos porque el reino de los cielos es suyo. Entonces, ¿qué significa eso realmente? ¿De verdad tenemos que ser pobres para poder vivir en el reino de los cielos?

Creo que Jesús quiere que sepamos como ve a los pobres. Ama a los que no tienen nada. No se ha olvidado de ellos. Quiere que sepan que son dichosos, y que el reino de Jesús también es suyo.

Jesús quiere que no nos olvidemos de los pobres. Se supone que no debemos darle la espalda a aquellos que necesitan algo de comer o un lugar para dormir. Quiere que cuidemos de los pobres porque también son sus hijos. Quiere que compartamos las cosas con las que nos ha bendecido, con aquellos que no tienen nada.

¿Qué puedes hacer para ayudar a los pobres? Habla con tus padres acerca de lo que tu familia puede hacer por los necesitados.

Padre celestial, gracias por todo lo que me has dado. Muéstrame como ayudar a los demás que están necesitados. Ayúdame a servirles con el amor que me has mostrado. Amén.

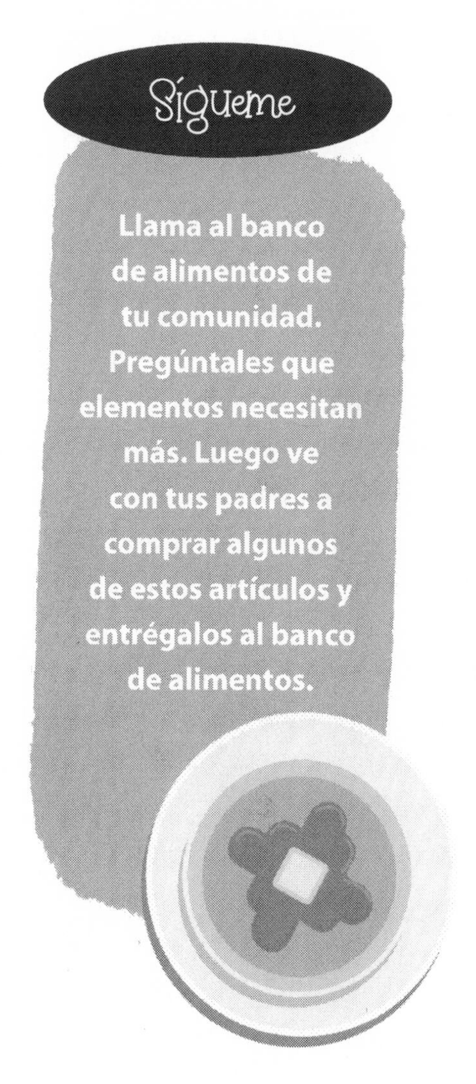

Pan de calabaza

3 tazas de azúcar
1 taza de aceite vegetal
3 huevos
1 lata de puré de calabaza de 16 onzas
3 tazas de harina
1 cucharadita de clavo de olor
1 cucharadita de canela
1 cucharadita de la nuez moscada
1 cucharadita del bicarbonato
½ cucharadita de sal
½ cucharadita de la levadura en polvo

Precalienta el horno a 350 F. Bate el azúcar y aceite en un tazón. Añade los huevos y la calabaza. En otro tazón, combina la harina, el clavo, la canela, la nuez moscada, el bicarbonato, la sal, y la levadura en polvo. Tamiza esta mezcla. Combina la mezcla de harina con la mezcla de calabaza lentamente. Divide la masa de forma pareja en dos sartenes de pan. Hornea durante una hora y 10 minutos.

Algo para pensar

¿Cuál es tu versículo favorito de la Biblia?

31

Dichosos los que Lloran

Mateo 5:4

"Dichosos los que lloran, porque serán consolados."
Mateo 5:4

¿Puedes pensar en un momento de tu vida hasta ahora en que realmente has llorado por algo que perdiste? Tal vez fue un miembro familiar o un amigo que murió, una mascota que murió, o tu juguete favorito que era muy especial para tí. Cuando lloraste por esas cosas, estoy seguro de que las lagrimas fluían por tu cara y estabas muy triste.

En esta bendición, Jesús quiere que sepamos que los que lloran son bendecidos. ¿Cómo puedes ser feliz cuando estás triste? ¿Cómo puedes ser bendecido cuando todo lo que haces es llorar?

Jesús continúa diciendo que somos dichosos cuando estamos tristes porque seremos consolados. Tus padres te consuelan cuando estás triste. Tus amigos te consuelan cuando estás triste. Tus maestros te consuelan cuando estás triste.

¿Sabias que cuando esas personas te están consolando, Jesús te consuela? En 2 Corintios 1:3-4 leemos "alabado sea Dios y Padre de nuestro Señor Jesucristo, Padre misericordioso y Dios de toda consolación, quien nos consuela en todas nuestras dificultades para que con el mismo consuelo que de Dios hemos recibido, también nosotros podamos consolar a todos los que sufren."

Nuestro Dios es un Dios de consuelo. Nos consuela en momentos tristes, y lo que es realmente genial es que entonces podemos usar ese mismo consuelo que nos ha dado y consolar a otras personas cuando están tristes.

Podemos ser consolados por él a través de la lectura de la Biblia. Cada vez que abres la palabra de Dios, puedes oír a Dios hablar contigo. La biblia no es un libro viejo que no significa nada. ¡Es la palabra de Dios para nosotros que está viva hoy! Así que la próxima vez que estés triste y Dios te dé un versículo en la Biblia para traerte consuelo, puedes usarlo para traer consuelo a otra persona cuando está triste. Recuerda que eres bendecido cuando lloras, porque serás consolado por nuestro Señor y Salvador, Jesucristo.

Dios del consuelo, gracias por consolarme cuando estoy triste. Ayúdame a ser un buen amigo y traer el consuelo a otros también. En el nombre de Jesús, amén.

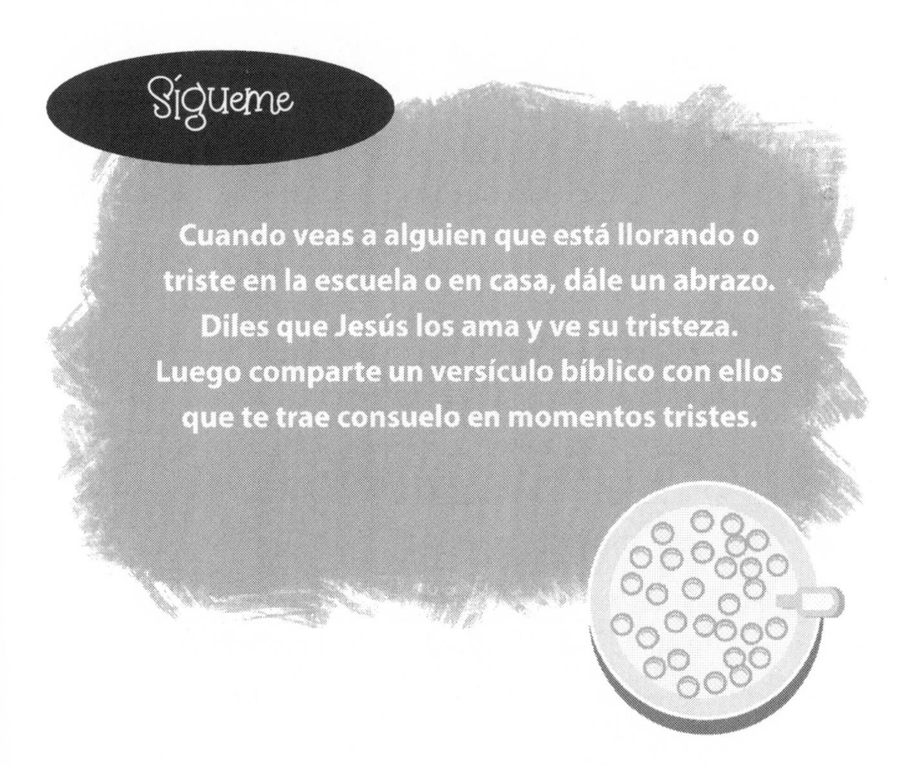

32

Dichosos los humildes

Mateo 5:5

"Dichosos los humildes, porque recibirán la tierra como herencia." Mateo 5:5

¿Conoces a alguien que tenga dificultades para escuchar, que piensa que lo sabe todo o que es una persona mala?

Una persona así es todo lo contrario a alguien que es humilde. Una persona humilde escucha a Dios, obedece a Dios y hace lo que Dios le pide. Son amables con todos, y rara vez dicen algo malo. ¿Preferirías ser amigo de alguien que es humilde? ¡Yo si sé que lo preferiría!

Jesús nos dice en el capítulo 5 de Mateo que los humildes son dichosos porque heredarán la tierra. ¿Qué significa realmente heredar la tierra? ¿Significa eso que la tierra será nuestra?

Si miramos en Salmos 37:11 (sí, ve a buscar tu Biblia y mira este versículo), dice "pero los desposeídos heredarán la tierra y disfrutarán de gran bienestar." ¡Y creo que esto es verdad! Cuando obedeces a Dios y haces todo lo que te pide, ¿no piensas que tu vida será bendecida? ¡Sí, claro que sí! Serás bendecido y vivirás en paz. Encontrarás gozo en todo lo que haces, y serás feliz mientras estés aquí en esta tierra. Esa es la vida de alguien que hereda la tierra.

¿Qué tan difícil crees que será ser una persona humilde? ¿Puedes tratar de vivir tu vida obedeciendo a Dios y confiando en él en todo?

Creo que puedes. Creo que debes trabajar duro para ser una persona humilde, pero creo en ti y sé que puedes hacer esto.

Padre Dios, quiero ser humilde. Quiero escucharte y seguirte con todo mi corazón. Ayúdame a vivir cada día de esta manera para que pueda vivir en paz contigo. Amén.

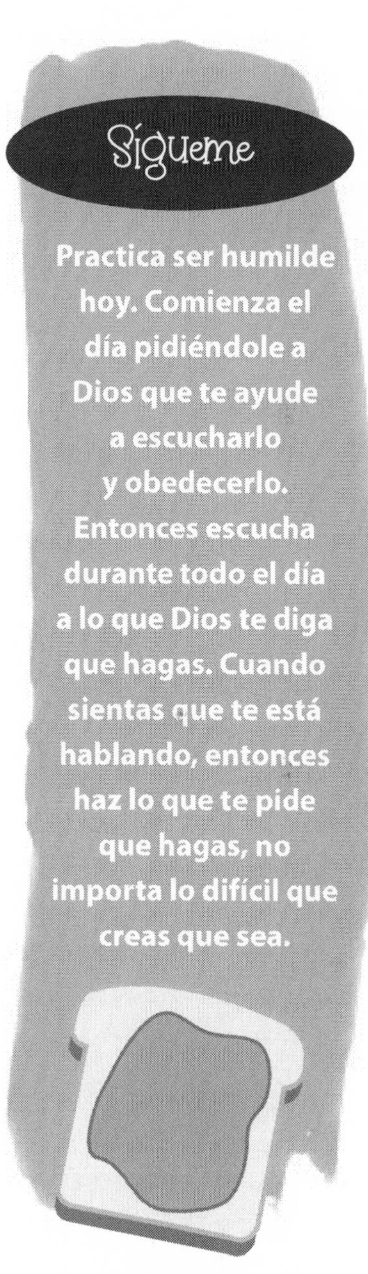

33

Dichosos los que tienen hambre y sed

Mateo 5:6

"Dichosos los que tienen hambre y sed de justicia, porque serán saciados." Mateo 5:6

Cuando piensas en tener hambre y sed, por lo general piensas en tener hambre de comida o algo para beber. ¿Pero es eso lo que Jesús nos está diciendo en Mateo capítulo 5?

El tipo de hambre y sed del que habla no tiene nada que ver con la comida. Es un tipo de hambre y sed que tienes como alguien que sigue al Señor. Tener hambre y sed de justicia significa que anhelas estar bien con Dios. Y estar bien con Dios significa que lo sigues de cerca; no quieres nada más que conocerlo mejor. Puedes hacerlo pasando tiempo con él todas las mañanas, leyendo su palabra, orando y escuchando lo que él te dirá. Estar bien con Dios también significa obedecer todo lo que te pide.

Jesús dice que cuando tengas hambre y sed de justicia, estarás lleno. Piénsalo de esta manera, ¿cuándo tienes hambre de comida, ¿qué haces? Comes algo y ya no tienes hambre. Estás satisfecho. Cuando tienes sed, ¿qué haces? Bebes algo y tu sed está satisfecha. Así que cuando tienes hambre y sed de Dios, ¿qué haces? Haz todo lo que puedes para pasar tiempo con Él para conocerlo mejor y estarás lleno y satisfecho en El.

En mi vida paso por momentos en los que realmente tengo hambre y sed de Dios y lo conozco mejor. Otras veces no trabajo duro para tener una buena relación con él. Quiero tener hambre y sed de Dios todo el tiempo. Necesito trabajar duro para hacer esto todos los días. Mi oración por ti es que siempre quieras estar cerca de Dios y siempre tengas hambre y sed de él. No hay mejor lugar que al lado del Señor.

Dios Bueno, ayúdame a tener hambre y sed de estar cerca de ti. Ayúdame a pasar tiempo leyendo la Biblia para que pueda saber más sobre ti y esforzarme por ser como Tú. Amén.

34

Dichosos los compasivos

Mateo 5:7

"Dichosos los compasivos, porque serán tratados con compasión." Mateo 5:7

Algunos de ustedes tal vez nunca han oído la palabra "misericordia." Mostrar misericordia a alguien significa que le muestras perdón. Los perdonas incluso cuando no se lo merecen. Jesús nos está diciendo aquí que a los misericordiosos se nos mostrará misericordia. Lo que significa es que cuando perdonamos a los demás, también se nos mostrará ese mismo perdón.

Hagamos un dibujo aquí. En el primer cuadro, haz un dibujo de una persona haciendo algo que requiera perdón. ¿Qué te ha hecho alguien donde has tenido que mostrar perdón? En el segundo cuadro, haz un dibujo de alguien que te muestre perdón por algo que les hiciste.

¿Qué tan difícil fue mostrar misericordia o perdón a tu amigo o familiar que te lastimó? Estoy seguro de que fue un poco difícil dependiendo de lo que te hicieron. Pero revirtamos la situación e imaginemos que eres el que ha lastimado a otra persona. ¿No esperas que te muestren la misericordia y te perdonen? Jesús nos dice que cuando mostramos misericordia a los demás, se nos mostrará misericordia, no sólo por el amigo al que lastimamos, sino por Jesús mismo.

Ahora toma tu lápiz y escribe con letras grandes "Se misericordioso." Esto te ayudará a recordarte que siempre debes perdonar, así como Jesús siempre nos perdona.

Señor, perdóname cuando lastime a alguien. Ayúdame a mostrar misericordia a los demás así como me muestras misericordia todo el tiempo. En el nombre de Jesús, amén.

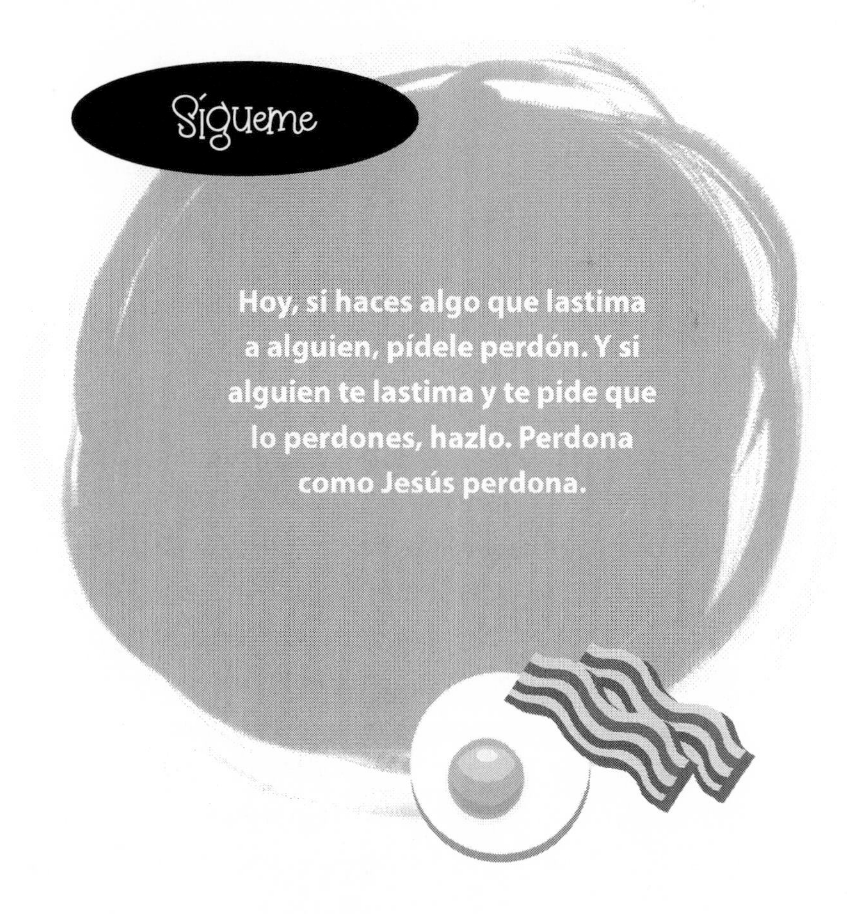

35

Dichosos los de corazón limpio

Mateo 5:8

"¡Dichosos los de corazón limpio, porque ellos verán a Dios!" Mateo 5:8

¡Quiero ver a Dios! ¡Quiero ver a Dios! ¡Quiero ver a Dios!

Puedo imaginarte ahora, tu maestro te acaba de preguntar "¿Quién quiere ver a Dios?" Tu primera respuesta podría ser "¿Quién no querría ver a Dios? Es Dios. El Dios que me creó y me ama. ¡Sí, por supuesto que quiero ver a Dios!"

Así que levantas la mano, moviéndola de un lado a otro con entusiasmo. Incluso podrías estar sentado en el borde de tu asiento. Esperas que ella te elija porque realmente quieres ver a Dios.

Pero luego tu maestro dice algo que te pilla desprevenido y te hace bajar la mano. Dice que puedes ver a Dios, pero tienes que tener un corazón limpio. ¿Un corazón limpio? ¿Qué significa eso?

Tener un corazón limpio significa que tu corazón está libre de todas cosas malas. Significa que no le dices cosas malas a la gente, ni desobedeces a tus padres, ni juzgas a la gente por su aspecto, ni difundes chismes sobre alguien que no te gusta. Tener un corazón limpio no es fácil, y es algo en lo que tendrás que trabajar, pero la recompensa por tener un corazón puro es impresionante, significa que llegarás a ver a Dios.

Ver a Dios aquí en esta tierra significa poder verlo en la creación, en otras personas, en las cosas que hacemos. No podremos ver físicamente a Dios con nuestros ojos, pero lo veremos a través de las cosas que él creó. Cuando podamos ver a Dios, disfrutaremos de estar con él, estaremos felices de que él sea nuestro Dios, y haremos todo lo que podemos para ser como Él.

¿Quieres vivir una vida que te permita ver a Dios? Sé que lo quiero, y trabajaré duro para hacer eso todos los días. ¡Así que vamos a tener corazones limpios y mantenerlos limpios de todo mal!

Dios del amor, gracias por permitirme estar en esta tierra. Ayúdame a pensar en las cosas antes de hacerlas o decir cualquier cosa que pueda hacer que mi corazón no esté limpio. Dame un corazón limpio para que pueda verte. En el nombre de Jesús, amén.

Sígueme

Escribe en el corazón de abajo maneras en que puedes tener un corazón limpio (un corazón que es libre de agravios). Y luego trabaja todos los días en tener un corazón puro para que puedas ver a Dios.

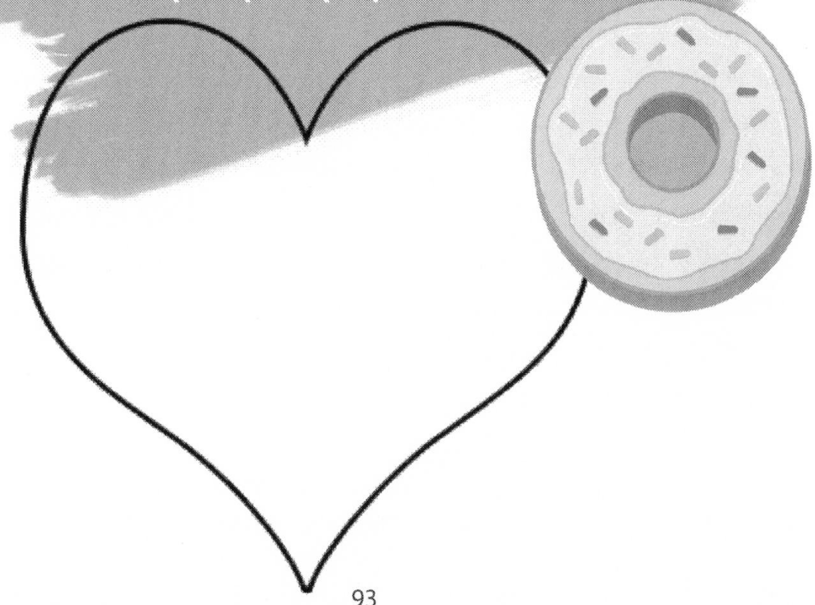

36

Dichosos los que trabajan por la paz

Mateo 5:9

"Dichosos los que trabajan por la paz, porque serán llamados hijos de Dios." Mateo 5:9

Si alguna vez estás en mi casa por la mañana antes de la escuela, oirás muchos gritos y peleas. Esa soy yo tratando de levantar a mis hijos, asegurándome de que han hecho todo lo que tienen que hacer para estar listos para ir a la escuela, y tal vez incluso gritarles que se apresuren. No es muy calmo en mi casa a esa hora del día.

Estoy segura de que hay momentos en tu casa cuando en lugar de ser calmo, es ruidoso y las personas están gritando. Tal vez estás peleando con tu hermano, tal vez tus padres te están gritando porque no hiciste lo que te pidieron. Hay tantas cosas que pueden hacer que nuestras casas sean cualquier cosa menos pacífica.

Jesús dice que debemos estar en paz el uno con el otro. Y para estar en paz con los demás debemos ser pacificadores. ¿Crea caos un pacificador? ¿Suscita conflictos un pacificador? No, un pacificador hace exactamente lo que las palabras significan: viven en paz con los demás. Un pacificador hace todo lo posible para asegurarse de que todos no estén en desacuerdo con los demás. Un pacificador ama la paz.

Jesús vino a este mundo para traernos paz. ¡Y lo logró precisamente! Cuando vivimos en paz los unos con los otros podemos vivir como hijos de Dios. Y eso significa vivir nuestras vidas libres de conflictos o caos.

¿Puedo darte un pequeño secreto? Soy una pacificadora. Me encanta cuando todo el mundo es feliz y se lleva bien. Odio cuando la gente pelea. Quiero que todos estén bien con todos y se amen. Quiero que todos estén en paz el uno con el otro.

¿Es mi vida siempre pacífica? Absolutamente no. Pero me esfuerzo todos los días para asegurarme de que los que viven a mi alrededor tengan paz entre sí. ¡Vamos todos a ser pacificadores! Creo que el mundo sería un lugar mejor para vivir si todos fuéramos pacificadores.

Príncipe de Paz, gracias por venir a este mundo y traernos paz. Ayúdanos a encontrar maneras de vivir en paz con los que nos rodean. En el nombre de Jesús, amén.

Sígueme

La próxima vez que alguien cercano a ti haga algo para molestarte, elige no empezar una pelea con ellos. Si no tienes hermanos, haz esto con un amigo. En su lugar, amablemente diles que se detengan y luego les das un abrazo. ¡Pueden estar tan sorprendidos por to amabilidad que dejan de molestarte!

Bollos de Jamón

3 cucharadas de mostaza
3 cucharadas de la semilla de amapola
1 cucharadita de la salsa Worcestershire
2 palitos de mantequilla
1 libra de jamón en fetas
½ libra de queso rallado
3 paquetes de bollos

Combina la mostaza, las semillas de amapola, la salsa Worcestershire, y la mantequilla en una olla en la estufa. Cocine a fuego lento hasta que la mezcla se derrita. Corta los bollos por la mitad a lo largo. Pon la mitad inferior de los bollos en una bandeja de horno. Pon en capas el jamón y el queso. Unta la mezcla encima del jamón y queso. Pon la otra mitad de los bollos encima de la mezcla. Hornea durante 15-20 minutos a 400F. Si quieres hacer menos, se puede cortar la receta por la mitad.

Algo para pensar

¿Prefieres escribir una carta a Jesús o hablar con Jesús en persona?

27

Dichosos los perseguidos

Mateo 5:10

"Dichosos los perseguidos por causa de la justicia, porque el reino de los cielos les pertenece." Mateo 5:10

"Mamá, mi amigo en la escuela me dijo que Dios no es real. Y luego se burló de mi por creer en Dios."

Esto fue lo que mi hija me dijo un día después de la escuela. Estaba triste porque su amiga no iba a la iglesia ni creía que Dios era real. Ella también estaba triste porque la amiga se burlaba de ella por creer en Dios. Ella no entendía por qué su amiga no creía o por qué se burlaba de ella.

Esto es exactamente de lo que esta Bendición está hablando. Jesús dice que todo aquel que cree en él no siempre será querido por todos. Hay gente que no cree que sea real. No creen que murió por nuestros pecados o que resucitó. No creen que Jesús sea nuestro Salvador. Y como no creen, les darán un mal rato a los que son cristianos y los que creen en Jesús. Puede haber momentos en tu vida en los que se burlen de tí a causa de tu creencia en Jesús.

Pero Jesús dice que no te rindas. No dejes que lo que los otros digan te haga sentir mal o quieras dejar de creer en él. Para aquellos que son perseguidos debido a la rectitud (lo que significa estar bien con Dios o tu creencia en Dios), grande es su recompensa. ¿Y cuál será esa recompensa? Tu recompensa será el reino de los cielos. Podrás vivir en el cielo para siempre con Jesús cuando salgas de esta tierra. No se me ocurre ninguna recompensa mayor que ésta.

Recuerda que Jesús te ama. Recuerda que es real. Recuerda ser fuerte en tu fé y seguir creyendo en Él sin importar lo que digan los demás. ¿Por qué? Porque tu recompensa es el reino de los cielos.

Dios amoroso, ayúdame a seguir mostrando tu amor a todas las personas, incluso si se burlan de mi por creer en ti. Ayúdame a ser fuerte en mi fé y a seguir viviendo mi vida por tí. En el nombre de Jesús, amén.

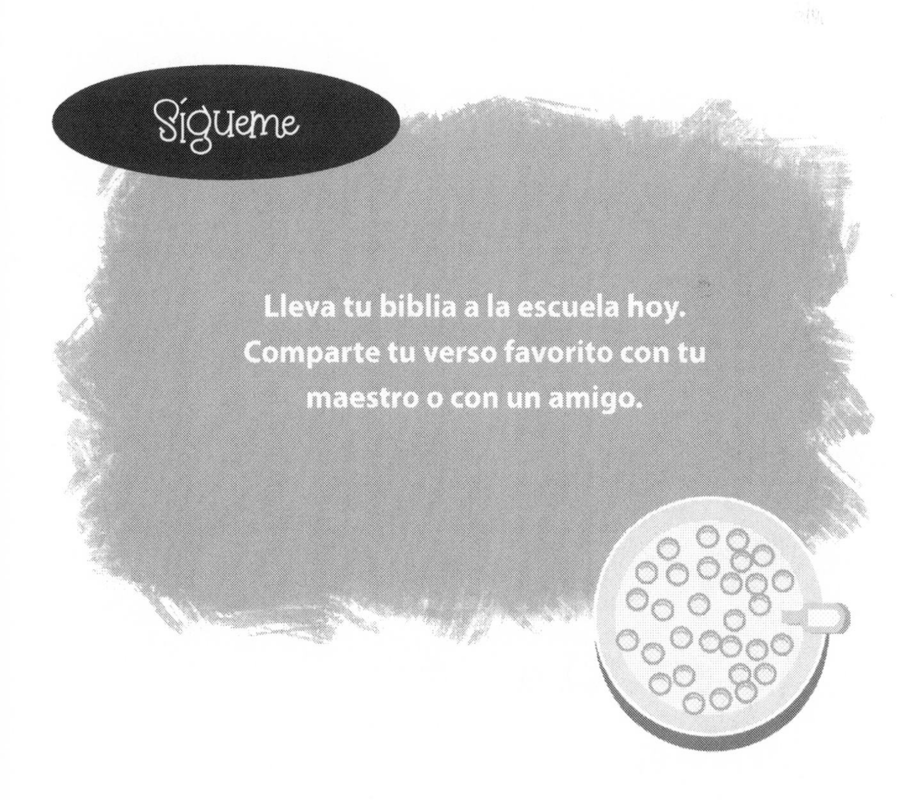

38

Amen a sus enemigos

Lucas 6:27-36

"'Pero a ustedes que me escuchan les digo: Amen a sus enemigos, hagan bien a quienes los odian, bendigan a quienes los maldicen, oren por quienes los maltratan.'"
Lucas 6:27-28

¿Quieres que haga qué, Señor?

Esa podría ser la respuesta que den cuando escuchen que Jesús nos pide que amemos a nuestros enemigos. No estás muy contento de escuchar eso porque hay algunas personas en la escuela que son malas contigo. Se burlan de tí y te dicen cosas feas. También puede haber algunas personas en la escuela que no te incluyan en sus conversaciones en el almuerzo o no te pidan que juegues con ellos en el recreo. Intencionalmente te dejan fuera y eso no te gusta. No son el tipo de gente que quieres amar.

Pero veamos como Jesús amaba. ¿Escogió sólo a ciertas personas para amar? ¿Sólo amaba a la gente que creía en Él? No, amaba a todo el mundo. Vino a salvar a todas y cada una de las personas en esta tierra porque todos somos hijos de Dios. Y nos pide que amemos a todos, incluso a esas personas que realmente no nos gustan.

¿Va a ser difícil? ¡Por supuesto que sí! Pero si algo es difícil no significa que no debamos hacerlo.

Mira el versículo de las Escrituras de arriba de Lucas 6:27-28. Jesús dice que debemos amar a nuestros enemigos y la forma en que lo hacemos es haciendo el bien a aquellas personas que nos odian. Es el decir una bendición sobre la gente que no te gusta. Y lo mejor que podemos hacer por aquellas personas que no nos gustan es orar por ellas.

¿Cómo oramos por ellas? Oras para que Dios te ayude a verlos como él lo hace. Es sólo entonces que podremos amarlos. Necesitamos verlos como Jesús los ve, como sus hijos que son amados por él.

Padre celestial, sabes que me cuesta amar a alguien en este momento. Es difícil perdonarlos cuando me han hecho algo malo. Pero ahora mismo pido que me ayudes a ver a esa persona como la ves. Ayúdame a ser amable con ellos, incluso cuando no son amables conmigo. Ayúdame a amarlos como tú los amas. Amén.

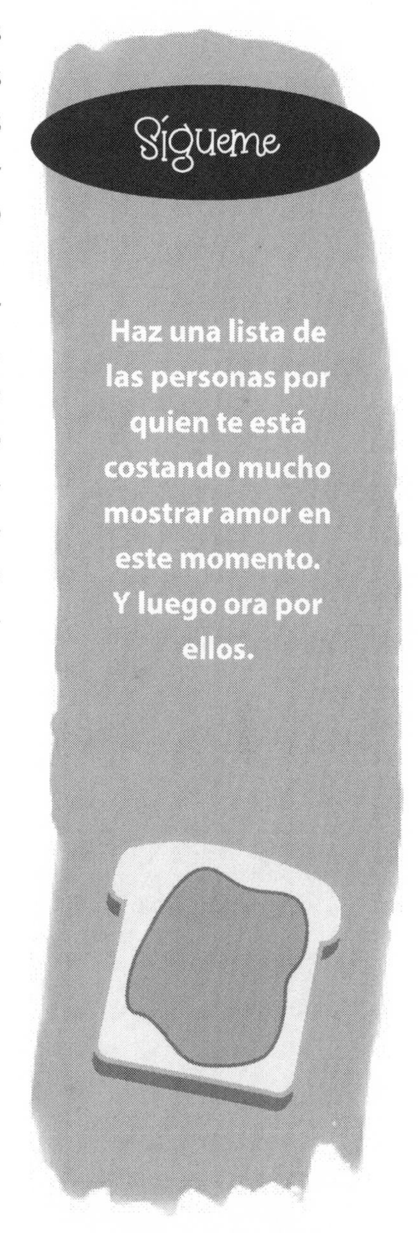

29

Jesús enseña sobra la oración

Lucas 11:1-4

"Señor, enséñanos a orar, así como Juan enseñó a sus discípulos." Lucas 11:1b

No sé cómo orar.

¿Alguna vez has dicho eso? Puede haber momentos en los que sientas que no sabes qué decirle a Dios. Tal vez porque sientes que tus oraciones no están siendo contestadas o tal vez porque sientes que no eres lo suficientemente importante para orar a Dios. O tal vez porque sientes que hay una cierta manera de orar y no sabes cómo.

Creo que los discípulos se sintieron como tú. Observaron a Jesús orando muchas veces. Tal vez querían saber cómo orar tal como Jesús oró porque él era el hijo de Dios. Creo que desearon ser como Él y orar como Él.

Jesús les enseñó lo que llamamos "La oración del Señor." Les (y nos) dió un ejemplo de como orar. Esas partes incluyen: alabar a Dios, pedir a Dios que provea para nuestras necesidades diarias, perdonarnos de nuestros pecados, mantenernos alejados de la tentación de cosas que no debemos hacer o cosas que no necesitamos, y rescatarnos del mal, que es el diablo.

Lo que quiero que recuerdes, sin embargo, es que no hay ciertas palabras que tengas que usar o decir para que Dios te escuche. En realidad, Jesús dice esto en Mateo 6:7 "Y al orar, no hablen sólo por hablar como hacen los gentiles, porque ellos se imaginan que serán escuchados por sus muchas palabras."

Aparentemente, algunas personas pensaron que tenían que usar palabras raras y elegantes para que Dios escuchara sus oraciones. Jesús dice que eso no es cierto. No se necesitan palabras grandes.

Así que cuando ores, no creas que tienes que orar de cierta manera. Oren porque quieren hablar con Dios. Oren, creyendo con todo su corazón, él les responderá. Ora, sabiendo que te oye. Y si sienten que les faltan palabras, oren usando el ejemplo que Jesús no dió en la oración del Señor.

Padre Dios, gracias por enseñarme como orar. Gracias por oírme y escucharme. Ayúdame a siempre seguirte. En el nombre de Jesús, amén.

Sígueme

Esto puede ser mucho para ti, pero ¿y si oraras antes de almorzar en la escuela? Y no sólo orar a ti mismo, pero ¿qué pasa si oras con tus amigos en tu mesa? Trata de hacer esto y ve como va. Podrías ayudar a alguien a conocer a Jesús a través de tus oraciones en el almuerzo.

40

No te preocupes

Mateo 6:25-34

"Por lo tanto, no se angustien por el mañana, el cual tendrá sus propios afanes. Cada día tiene ya sus problemas."
Mateo 6:34

¿De qué te preocupas? Tómate un minuto para escribir estas cosas

Cuando era niña, me encontré preocupándome por muchas cosas; hacer amigos, tomar exámenes en la escuela, hacer buenas calificaciones, enfermarme, andar bien en mis deportes, y también me preocupaba mucho que los perros me mordieran (tenía terror de los perros). ¡Parece como que demasiadas preocupaciones para un niño!

¿Pero quieres saber algo? Jesús dice que no tenemos necesidad de preocuparnos. Así es, Jesús dice eso en la Biblia.

En el capítulo 6 de mateo, Jesús le habla al pueblo judío. Conoce sus corazones y sabe exactamente lo que necesitan oír. Asumo que los judíos estaban preocupados, como tú y yo. Por lo que Jesús les dice que asumo que se preocuparon por encontrar suficiente comida para comer y agua para beber. También mencionó la ropa, así que supongo que se preguntaban si tendrían suficiente ropa para ponerse. Jesús les asegura que no tienen que preocuparse. Les recuerda que, si El prevee comida para que los pájaros coman y viste la tierra con hermosos lirios y hierba, ¿no creen que proporcionará mucho más a Su pueblo?

¿Qué puedes hacer si te preocupas por cosas? Puedes convertir esas preocupaciones en oraciones. Pídele a Jesús que te ayude a estar libre de estas preocupaciones. Pídele que te tranquilice y te dé paz. Jesús no nos dice que nos preocupemos. Nos dice que estemos libres de preocupaciones. Y creo que puedes hacer eso cuando le entregas todas tus preocupaciones en tus rezos.

Príncipe de paz, perdóname si me preocupo. Ayúdame a encontrar la paz durante los momentos en que me preocupo. Recuérdame todos los días cómo provees para mí. Ayúdame a confiar en ti. En el nombre de Jesús, amén.

Sígueme

Cuando me siento preocupada, llevo una cruz en el bolsillo. Me ayuda a sentir la presencia de Jesús en tiempos difíciles. Todo lo que tengo que hacer es poner la mano en mi bolsillo y recordar que Jesús está conmigo y no hay nada de qué preocuparse. Si no tienes una cruz para el bolsillo, pídele a tus padres que vayan a internet y te compren una.

41

La regla de oro

Mateo 7:12

"Así que en todo traten ustedes a los demás tal y como quieren que ellos los traten a ustedes. De hecho, esto es la ley y los profetas." Mateo 7:12

Encendí la aspiradora y comencé a aspirar la sala tal como mi mamá me dijo que hiciera. En secreto, estaba feliz de hacer esto porque sabía que asustaría mucho a mi hermana. Es que mi hermana le tenía terror a las aspiradoras. No estoy segura por qué, tal vez fue porque eran tan ruidosa o tal vez porque ella tenía miedo de ser absorbida. No importa cuál sea la razón, a ella no le gustaban las aspiradoras para nada.

Ella estaba sentada en el sofá mirando a la aspiradora cada vez más cerca de ella. Cuando empecé a aspirar, decidí divertirme un poco. La mantuve encendida, la levanté y la puse cerca de su cara. Ella empezó a gritar histéricamente y no pude dejar de reirme. Y por supuesto, mi mamá me regañó.

¿Estaba siguiendo la Regla de Oro cuando asusté a mi hermana con la aspiradora? Absolutamente no.

La Regla de Oro es lo que dice Jesús en Mateo 7:12 "Así que en todo traten ustedes a los demás tal y como quieren que ellos los traten a ustedes." Básicamente, debemos tratar a los demás de la manera en que queremos ser tratados. Eso significa hacer cosas a los demás o decir cosas a los demás porque querríamos que nos trataran de la misma manera.

¿Y si los papeles se invirtieran en mi historia desde arriba? ¿Crees que querría que mi hermana me tratara de la misma manera que la traté? Por su puesto que no. No quiero que alguien tome mis miedos y literalmente me los ponga en mi cara. Definitivamente no la estaba tratando de la manera en que me gustaría que me trataran.

La próxima vez que hagas algo para herir a alguien, tómate un momento para pensar en la Regla de Oro. Pregúntate, "¿me gustaría que me trataran de esa manera?" Y si tu respuesta es no, entonces no lo hagas. O si ya lo has hecho, pídele perdón a esa persona.

Haz todo lo posible para seguir la Regla de Oro. Sé amable y trata a los demás de la manera en que quieres que te traten.

Dios amoroso, gracias por darnos la Regla de Oro. Gracias por enseñarme acerca de mostrar bondad a todos. Perdóname cuando me equivoco y no trato a los demás de la forma en que quiero que me traten. Muéstrame la manera de amar a los demás como me amas a mí. En el nombre de Jesús, amén.

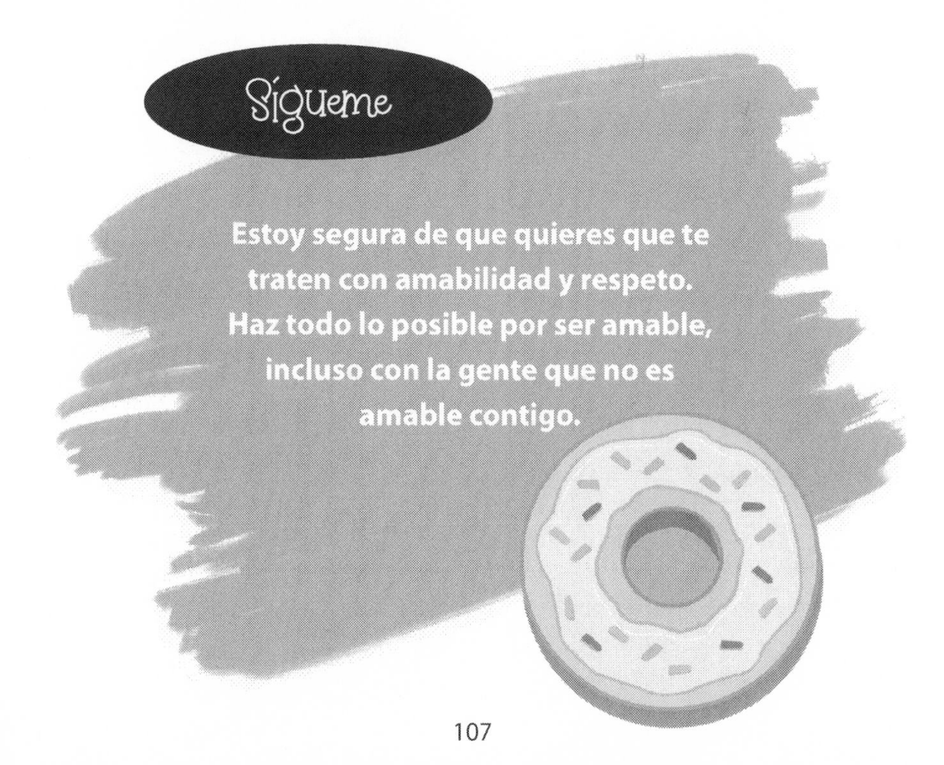

42

Construyendo sobre la roca

Mateo 7:24-29

"Por tanto, todo el que me oye estas palabras y las pone en práctica es como un hombre prudente que construyó su casa sobre la roca." Mateo 7:24

Hagamos una encuesta…

Si quisieras construir una casa, ¿preferirías que se construyera sobre arena o preferirías que se construyera sobre roca?

Ahora, antes de votar, pensemos en esto. ¿Qué pasa con las cosas que se construyen sobre arena? Se pierden muy fácilmente, ¿verdad? (Piense en los castillos de arena que has construído en la playa).

¿Qué pasa con las cosas que se construyen sobre una roca? Son fuertes y se sostienen. No van a caer. Creo que se puede asumir que votarían por construir sus casas sobre una roca.

En el capítulo 7 de Mateo, Jesús les cuenta una parábola (una historia). Dice en el versículo 24 que si escuchamos Su palabra y hacemos lo que dice, nuestra vida será fuerte como una casa construida sobre una roca. Pero en el versículo 26 dice que, si leemos su palabra y la escuchamos, pero no hacemos lo que dice, nuestras vidas se desmoronarán fácilmente como una casa construída sobre arena.

Entonces, ¿qué está tratando de decir Jesús?

Nos está diciendo que nos aseguremos de que construyamos nuestras vidas alrededor de Jesús. Para mantenernos fuertes y ser sólidos en nuestra fé, necesitamos leer la Biblia, escuchar a Jesús, hacer lo que él dice que haga, orar, ir a la iglesia y contarles a los demás acerca de Él. Si hacemos estas cosas, nuestra fé en Jesús nunca fallará. Permanecerá fuerte.

Habrá momentos en tu vida en los que no te quedas en la roca, pero recuerda que Jesús siempre está contigo y él te ayudará a volver a la roca y te mantendrá fuerte.

Padre Dios, te alabo por quien eres. Gracias por darme una roca en la que pararme. Gracias por mostrarme como vivir mi vida. Manténme fuerte en mi fé y ayúdame a confiar siempre en tí. En el nombre de Jesús, amén.

Encuentra una pequeña roca. Pinta una cruz en ella. Lleva esa roca en tu mochila todos los días a la escuela como un recordatorio para estar de pie con Jesús, que es tu roca.

Pan de banana con queso crema

½ taza de mantequilla, ablandada
8 onzas de queso crema, ablandada
2 tazas de azúcar
2 huevos
3 tazas de harina
½ cucharadita de la levadura en polvo
½ cucharadita del bicarbonato
½ cucharadita de sal
4 bananas maduras, machacados
½ cucharadita del extracto de vainilla

Bate la mantequilla y el queso crema con una batidora eléctrica hasta que esté cremosa. Lentamente, añade el azúcar, batiendo hasta que sea ligera y esponjosa. Añade los huevos (uno a uno), batiendo hasta que estén bien mezclados.

Combina la harina, la levadura en polvo, el bicarbonato, y sal en un tazón. Lentamente, añade a la mezcla de mantequilla hasta que sea bien mezclada. Remueve las bananas y el extracto de vainilla. Divide la masa por la mitad y vierte en dos sartenes engrasados y enharinados 8x4.

Hornee a 350 grados durante una hora o hasta que un palillo salga limpio. Si la cazuela empieza a dorarse demasiado rápido, cúbrala con papel de aluminio y vuelva a colocarla en el horno. Enfríala durante 10 minutos antes de retirar de la sartén. Deja que el pan se enfríe durante 30 minutos antes de cortar y servir.

Algo para pensar

¿Qué es algo que has hecho que necesitas pedirle a Jesús que te perdone?

43

El juzgar a los demás

Lucas 6:37a

"No juzguen, y no se les juzgará." Lucas 6:37a

¿Qué significa juzgar a alguien? ¿Somos como un juez de la corte que se sienta en lo alto y condena a la gente? ¿O podemos juzgar a la gente en nuestros corazones?

Creo que ya sabes la respuesta.

Juzgamos a la gente sin darnos cuenta de que juzgamos cada día. Juzgar significa que criticamos a alguien por algo que hicieron o dijeron o incluso por su aspecto. Echa un vistazo a las personas de tu clase o tu familia en casa. Estoy segura de que has pensado cosas sobre cómo se visten o cómo llevan su cabello o la forma en la que actúan. Incluso puedes haber dicho estos pensamientos en voz alta.

¿Alguna vez se te has detenido a pensar en cómo le afecta a la gente la forma en la que la juzgamos ? Las palabras que les decimos y la forma en que miramos a los demás pueden herir. Realmente puede dañar la autoestima de una persona y hacer que se sientan mal con ellos mismos.

Me gusta comparar juzgar a otros y usar palabras que son hirientes a un tubo de pasta de dientes. Cuando exprimes la pasta de dientes, ¿Puedes volver a ponerla? Pruébalo y mira lo que pasa. Es difícil.

Lo mismo ocurre con las palabras que decimos cuando juzgamos a otras personas. No podemos devolver esas palabras. No podemos volver a ponerlas en nuestra boca y olvidar que las dijimos. Están fuera y no podemos volver a meterlas.

Imagina que se han cambiados los roles y eres tú el que está recibiendo el juicio y las palabras hirientes. No es muy divertido, ¿verdad? Jesús dice que no debemos juzgar para que no seamos juzgados.

Jesús también nos dice que tratemos a los demás de la manera en que queremos ser tratados. Así que la próxima vez que quieras decir algo malo acerca de alguien, recuerda que Jesús nos dice que no juzguemos a los demás. Y luego pídele a Jesús que te ayude a ver a los demás de la manera en que él los ve. Cuando podamos ver a las personas como él, esto nos ayudará a transformar nuestros pensamientos en buenos y amaremos a los demás como El lo hace.

Dios de todo, ayúdame a recordar que no debo juzgar a otras personas. Abre mis ojos para que pueda ver a los demás como tú los ves. Amén.

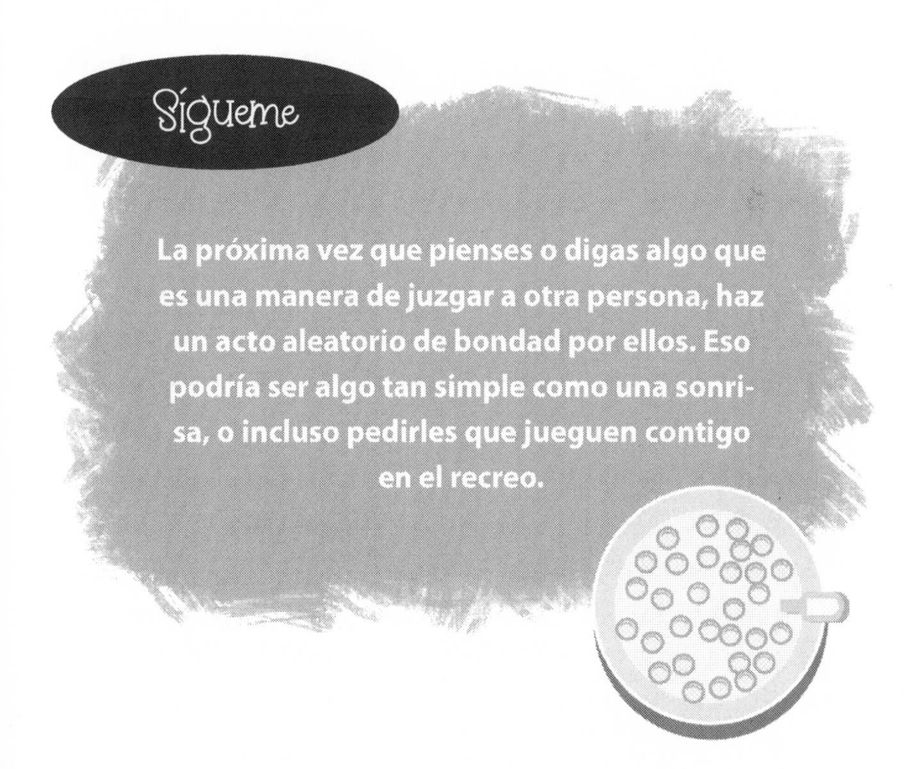

44

El perdón

Lucas 6:37b

"No condenen, y no se les condenará." Lucas 6:37b

Me llamó gorda y me dijo que necesitaba hacer más ejercicio. Eso fue tan malo y nunca la perdonaré.

Esos fueron palabras que se le dijeron a una niña un día cuando estaba en la escuela primaria. Las palabras la lastimaron y la hirieron directamente su corazón. Ella no entendía por qué alguien que conocía y consideraba un amigo le hubiera dicho palabras tan duras. Ella no tenía intención de perdonar a esa amiga. Ella no se lo merecía. Ella estaba lista para dejar que eso sea el fin de la amistad.

¿Alguna vez has sentido ese tipo de dolor? Tal vez un amigo de la escuela se burló de ti. Tal vez fue un hermano quien te lastimó con sus palabras. O tal vez, incluso en el enojo de un momento, algo que tus padres dijeron te hicieron daño.

Seré honesta y te diré que el perdón es difícil. Hay días en los que no quiero perdonar a la gente. No merecen mi perdón. Prefiero estar enojada con ellos para siempre que perdonarlos o ser amable con ellos.

Pero ¿qué haría Jesús?

No, Jesús no haría nada de eso. Jesús nos dice que perdonemos. Dice en Lucas 6:37b "No condenen, y no se les condenará." Parte de ser perdonados por lo que hacemos requiere que perdonemos a los demás por las cosas que nos hacen. ¿Y por qué tendríamos que perdonar? Porque Jesús nos perdona. Sería triste si Jesús no nos perdonara, ¿no? Pero no tenemos que preocuparnos por eso porque sabemos que lo hace. Todo lo que tenemos que hacer es aceptarlo como nuestro Salvador, creer que murió por nuestros pecados, y confesar nuestros pecados con él y él nos dice que seremos perdonados. ¡Es increíble!

No sólo debemos buscar el perdón de Dios y de los que lastimamos, sino que también debemos perdonar a los demás como Jesús lo hace con nosotros. Espero que trabajes duro cada día para perdonar a las personas que te han causado daño. Sigue el ejemplo de Cristo y perdona a los demás. Y recuerda que también te ha perdonado.

Dios del perdón, gracias por enseñarme sobre el perdón. Gracias por mostrarme cómo perdonar. Ayúdame a tener un corazón como el tuyo y perdonar a los demás como me perdonas. En el nombre de Jesús, amén.

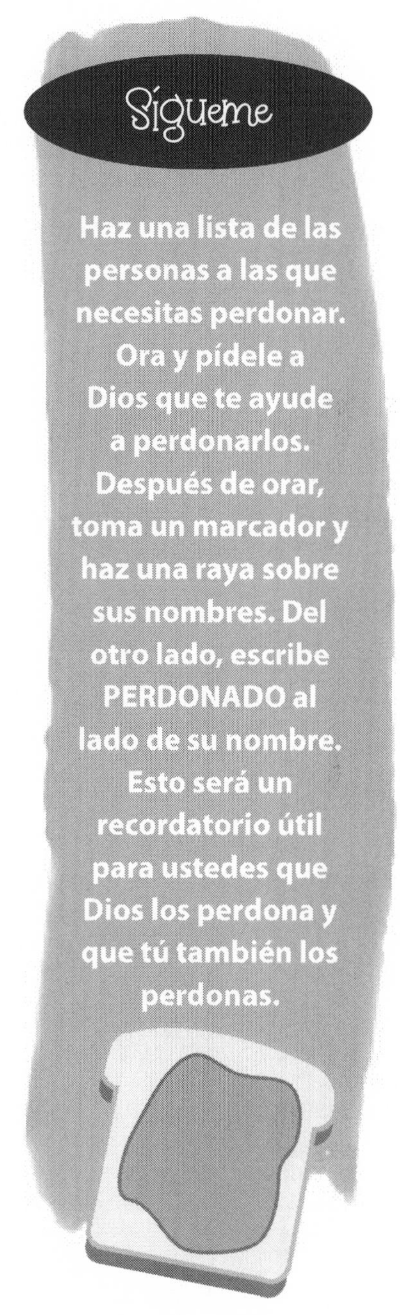

45

Dar a los demás

Lucas 6:38

"Den, y se les dará: se les echará en el regazo una medida llena, apretada, sacudida y desbordante. Porque con la medida que midan a otros, se les medirá a ustedes."
Lucas 6:38

Es muy divertido conseguir regalos, ¿no? ¿No te encanta arrancar el papel de envoltura del regalo y llegar a la caja? La emoción se acumula y no puedes esperar a ver lo que hay dentro. Tal vez es algo que les pediste a tus padres. Tal vez es una sorpresa total. No importa lo que sea, estoy seguro de que te encanta recibir regalos.

Ahora, revirtamos esa situación. ¿Cómo te sientes cuando le das un regalo a otra persona? ¿te encuentras tan emocionado como cuando recibes uno? ¿O realmente deseas que fueras tú el que recibiera el regalo?

Para mi, dar regalos a los demás me trae más alegría que recibir regalos yo misma. Hay algo en ver la cara de alguien mientras abre un regalo que hace que mi corazón se ponga muy feliz. Me encanta ver como se les ilumina la cara mientras lo abren. Me encanta ver sus reacciones.

¿Y sabes qué es aún más divertido? Dar un regalo sin que el receptor sepa que era de tí. A veces me gusta dar regalos de forma anónima, especialmente si es un regalo para alguien que está necesitado. Quiero que lo vean como un regalo de Dios en lugar de un regalo mío.

Jesús dice que si damos, se nos dará. ¿Entiendes lo que significa eso realmente? Cuando damos a los demás, Dios nos lo devolverá. O cuando damos a Dios, Dios nos lo devolverá. He recibido muchos regalos en mi vida. A veces ha sido cuando estoy necesitada y siempre estoy tan dichosa. Me encanta dar a los demás porque he sido bendecida tanto por lo que otros me han dado.

Pero lo mas importante, doy a Dios porque él dió a Su único hijo por mí. Jesús renunció a su propia vida para que pudiera vivir para siempre con Él en el cielo. ¡Eso es un gran regalo! Y Dios lo hizo porque nos ama mucho. Rezo que tengan un corazón para dar a los demás tal como Dios nos dió a nosotros.

Dios, gracias por el regalo de Jesús. Ayúdame a tener un corazón generoso para los demás tal como me fuiste conmigo. Te quiero, Señor. En el nombre de Jesús, amén.

Sígueme

Si recibes una paga por semana, úsala para comprar un regalo para otra persona. Tal vez para un amigo que necesita algo que no puede comprar. O úsalo para comprar algo para tu hermano. Y si lo haces, dáselo sin que ellos sepan que era de tí. Entonces siéntate y mira la alegría en su cara.

46

La parábola del sembrador

Lucas 8:1-15

"Pero la parte que cayó en buen terreno son los que oyen la palabra con corazón noble y bueno, y la retienen; y, como perseveran, producen una buena cosecha."
Lucas 8:15

A Jesús le encantaba usar parábolas para enseñar a las personas (historias que dan un significado). A veces, Jesús no explicaba lo que significaba la parábola, pero en ésta lo hace.

La parábola del sembrador habla de un agricultor que plantó semillas en cuatro tipos diferentes de suelo. Las primeras semillas que sembró estaban en el camino. La gente caminó por encima de todas las semillas y los pájaros se las comieron. Jesús continúa explicando que las semillas de esta historia representan la Palabra de Dios. Las semillas en el camino están destinadas a representar a las personas que escuchan la palabra de Dios, pero el diablo viene y quita las palabras y ya no creen (Lucas 8:11-12).

Algunas semillas cayeron sobre la tierra rocosa y cuando germinaron se marchitaron porque no tenían humedad (Lucas 8:6). Jesús dijo que esto representa a las personas que escuchan la palabra de Dios y son muy felices y alegres cuando la escuchan, pero no tienen raíces. Creen por un tiempo cuando la escuchan, pero cuando los tiempos se hacen difíciles se rinden y se alejan de Dios (Lucas 8:13).

Otras semillas cayeron sobre espinas. Las semillas crecieron, pero también tenían espinas creciendo con ellas. Las espinas finalmente ahogaron la planta (Lucas 8:7). Jesús dijo que esto representa a las personas que escuchan la Palabra de Dios y la aceptan, pero están tan atrapadas en las preocupaciones de la vida, en ser ricos y tener-lo todo, que no maduran en su fé. (Lucas 8:14).

Las ultimas semillas cayeron en tierra buena. Cuando las plantas crecieron, produjeron un buen cultivo, más de lo que en realidad se sembró (Lucas 8:8). Jesús dijo que esto representa a las personas que hacen lo correcto, tienen buenos corazones, escuchan la palabra de Dios, la siembran en la memoria y viven de ella. Estas semillas producen un buen cultivo (Lucas 8:15).

Quiero ser como las semillas sembradas en tierra buena. Quiero hacer siempre lo que Dios quiere que haga. Quiero seguir siempre al Señor pase lo que pase. Quiero leer mi Biblia y aprenderla, poder recordar las Escrituras cuando las necesito. Y quiero vivir la palabra de Dios en mi vida diaria. ¿Te unirás a mi? ¡Seamos buenas semillas en este mundo!

Dios todopoderoso, ayúdame a ser una buena semilla. Ayúdame a comprometerme contigo en todos los sentidos y a vivir mi vida como ejemplo de ti. En el nombre de Jesús, amén.

47

Ser una luz

Lucas 8:16-18

"Nadie enciende una lámpara para después cubrirla con una vasija o ponerla debajo de la cama, sino para ponerla en una repisa, a fin de que los que entren tengan luz."
Lucas 8:16

¡Es hora de un experimento! Trae a tus padres, porque esto será algo para lo que necesitarás ayuda. También, necesitarás una vela, un encendedor y un vaso.

Enciende la vela. Observa que brilla. Ahora pon el vaso sobra la parte superior de la vela y cúbrela. ¿Qué pasa con la vela?

Como viste, la vela se apaga. No hay más llama. No hay suficiente oxígeno dentro del vaso para mantener la vela encendida. La falta de oxígeno apaga la llama. No hay más luz.

En este pasaje del capítulo 8 de Lucas, Jesús habla de su luz que brilla a través de nosotros. Cuando llegamos a conocer a Jesús y tenemos pasión y amor por él, ese amor brillará fuertemente a través de nosotros. Será difícil contener una luz tan fuerte. No vamos a querer ocultar su luz debajo de un frasco o ponerla debajo de una cama, queremos compartirla con otros.

¿Alguna vez has cantado la canción "Esta lucecita?" Cada verso dice:

¡Esta lucesita mía, la voy a dejar brillar!
¿Escóndela debajo de una canasta? ¡No, la voy a dejar brillar!
¡No dejes que Satanás la apague, la voy a dejar brillar!

Se supone que no debemos ocultarla o dejar que Satanás la sople. Debemos dejar que la luz de Jesús brille a través de nosotros.

Luz del mundo, gracias por todo lo que haces por mi. Ayúdame a ser una luz para tí en mi ciudad. Dame el valor de contarle a los demás sobre tí. Que mi luz brille brillantemente por tí, Jesús. En el nombre de Jesús, amén.

48

Jesús calma la tormenta

Marcos 4:35-41

"¿Por qué tienen tanto miedo? —dijo a sus discípulos—. ¿Todavía no tienen fe?" Marcos 4:40

Imagínate esta escena.

Has tenido un día largo. Caminaste mucho, hablaste con gente y aprendiste de tu maestra. Entonces tu maestra te dice que te subas a un barco. Es la tardecita mientras que subes al barco. Empiezas a sentir una brisa a medida que navegas hacia el otro lado. Pero esta brisa se convierte en una gran tormenta de viento. Todos a bordo tienen miedo.

Entonces recuerdas a tu maestro, el que es capaz de hacer milagros. Seguramente él será capaz de ayudarte. Así que vas a buscarlo y lo encuentras durmiendo. ¿Quién duerme durante una tormenta?

Lo despiertas y hace algo que no has visto a nadie hacer antes. Dice "¡Silencio! ¡Cálmate!" De repente el viento se apaga y está tranquilo. ¿Cómo puede ser que incluso el viento y las olas le obedezcan? Entonces te hace una pregunta que te hace pensar duramente. Dice "¿Por qué tienen tanto miedo? ¿Acaso no tienen fé?"

Esta escena es lo que sucedió la noche en que los discípulos y Jesús estaban en un barco. El maestro es Jesús. ¿Cuál sería tu respuesta si te hiciera esa pregunta?

Hay cosas en este mundo que nos asustan. Muchas cosas, en realidad. Y aunque es difícil dejar de tener miedo por algunas cosas, hay una persona a quien podemos darle esos temores, y esa persona es Jesús. Nos pide que nos liberemos y tengamos fé. Él cuidará de nosotros y siempre estará con nosotros.

Recuerda tener fé en Jesús y confiar en Él. Dale tus miedos y deja que los aplaste por tí. Escúchalo decir "¡Silencio! ¡Cálmate!" y abandona tus miedos.

Dios todopoderoso, gracias por quitarme mis miedos. Ayúdame a recordar tener fé y confiar en tí. Ayúdame a recordar que siempre estás conmigo. En el nombre de Jesús, amén.

Sígueme

La próxima vez que sientas miedo, saca un papel y escribe que es lo que temes. Como si le dieras tus miedos a Jesús, dibuja una gran cruz sobre cada temor y dí una oración. Dale esos miedos a Jesús y recuerda que Él está contigo.

Tostadas con canela

2-3 rebanadas de pan
Mantequilla
Azúcar
Canela

Coloca 2-3 rebanadas de pan en una bandeja del horno. Unta la mantequilla en el pan. Después, espolvorea con azúcar y canela (pon tanto como quieres o tanto como dicen tus padres). Hornea a 350 grados hasta que la parte inferior del pan esté ligeramente tostado.

Algo para pensar

Si Jesús fuera a venir a desayunar a tu casa hoy, ¿en qué tipo de platos le servirías la comida?

49

La piscina de curación

Juan 5:1-9

"'Levántate, recoge tu camilla y anda' le contestó Jesús."
Juan 5:8

Si entraras en un hospital, ¿qué encontrarías? Encontrarías médicos y enfermeras, pero sobre todo encontrarías un edifico lleno de enfermos. Gente necesitada de curación. Gente que ya no quiere estar enferma.

En la historia de hoy, encontramos a personas que necesitan curación, pero no están pasando el rato en un hospital. Estas personas son discapacitadas (cojas, paralizadas y ciegas) y están sentadas junto a una piscina. Parece extraño, ¿verdad? ¿Por qué alguien que quiere estar mejor va a estar sentado al lado de una piscina?

En esta época, se creía que un ángel vendría a agitar las aguas y cuando lo hiciera, aquellos que pudieran entrar en la piscina serían sanados. Pero a veces los discapacitados no son capaces de ir a ninguna parte a menos que alguien los ayude.

Eso es lo que le pasó al hombre en la historia de hoy. Cuando Jesús le preguntó si quería ser sanado, el hombre pensó que Jesús estaba diciendo que necesitaba entrar en la piscina para ser sanado porque su respuesta a la pregunta de Jesús era que no había nadie que lo ayudara a entrar en la piscina porque no podía caminar.

Pero Jesús no iba a usar la piscina para sanar a este hombre, ¿verdad? No, iba a curarlo con sólo decir una palabra. Vemos en el versículo 8 lo que Jesús dice "¡Levántate! Recoge tu camilla y anda." ¡Y al instante este hombre fue curado! Se levantó, tomó la camilla en la que estaba sentado y caminó. ¡Fue un milagro de curación!

Me encanta esta historia porque vemos el poder que Jesús tiene sobre la enfermedad. Vemos que todo lo que tiene que hacer es decir una palabra sobre cualquier tipo de enfermedad y podemos ser sanados.

Pero a veces, la curación no ocurre instantáneamente. A veces puede tomar días o semanas o incluso años para que las personas sean sanadas. No importa cuánto tiempo tardes en superar una enfermedad, recuerda que Jesús está contigo. Camina a su lado y te proporcionará la fuerza y el poder para superarla. No pierdas la esperanza si no te curas instantemente como el hombre en esta historia. Sólo sigue creyendo en el poder de Jesús y en Su amor por tí.

Dios poderoso, gracias por sanarme cuando estoy enfermo. Ayúdame a confiar siempre en tí incluso cuando la sanación no viene cuando lo quiero. En el nombre de Jesús, amén.

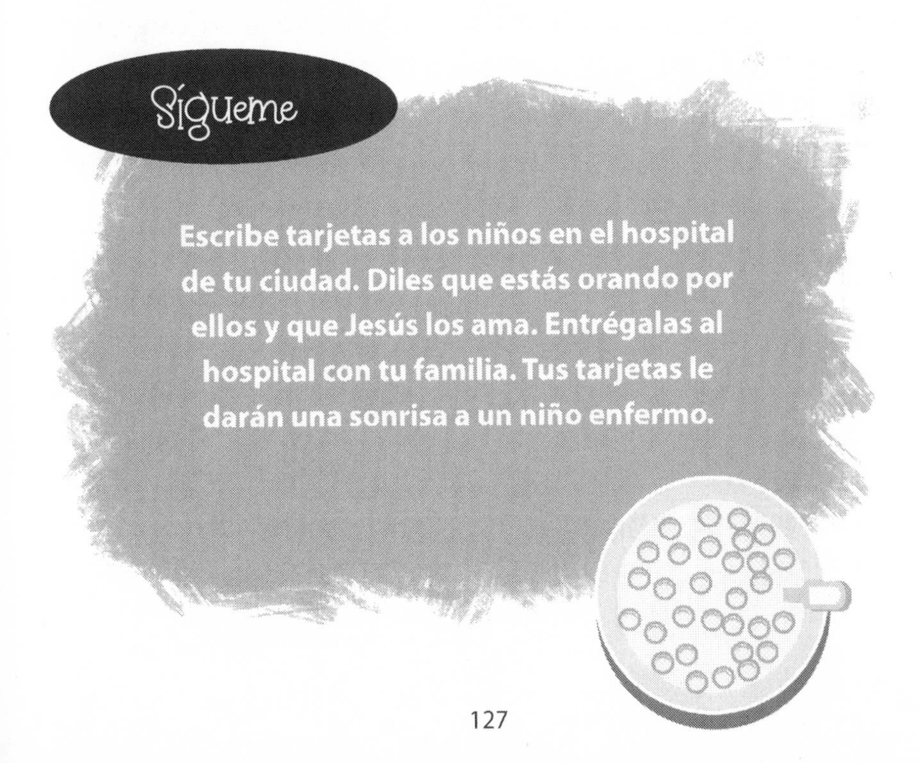

50

Son pocos los obreros

Mateo 9:35-38

"'La cosecha es abundante, pero son pocos los obreros' les dijo a sus discípulos." Mateo 9:37

¿Alguna vez te han pedido tus padres que hagas una tarea en tu casa que parecía imposible? Era una tarea tan grande que no sabías cómo serías capaz de hacerlo todo. ¿Cómo te hizo sentir esto? ¿Estabas abrumado cuando viste todo el trabajo que tenías que hacer? ¿O tal vez te sentiste preparado para hacerle frente a esta gran tarea?

En el capítulo 9 de Mateo, encontramos a Jesús haciendo lo único que Dios le pidió que hiciera: compartir su amor con todos. Jesús estaba pasando por todos los pueblos enseñando acerca de Dios, incluso sanando enfermedades. Muchas personas venían a él necesitadas de sanación, pero también queriendo escuchar su enseñanza. Mucha gente buscaba a Jesús.

¿Crees que Jesús se abrumó cuando Dios le pidió que extendiera su amor a todos? No, todo lo contrario. Tuvo compasión por ellos y nunca dejó de enseñar y amar a la gente.

Entonces Jesús les dice a Sus discípulos que necesita su ayuda para compartir sobre Dios. Pero les dice "La cosecha es abundante, pero son pocos los obreros." (Mateo 9:37). Esto significa que hay tantas personas en este mundo que necesitan oír de Él. Sin embargo, el número de personas que están dispuestas a compartir su amor son pocos.

Como cristianos, estamos llamados a compartir el amor de Dios con todo el mundo. Jesús necesita que hablemos con otras personas de Él. Necesita que seamos amables, que amemos a los demás, que seamos valientes y que digamos su nombre a todas las personas. ¿Puedes hacerlo? ¡Creo que puedes! Jesús te necesita. ¡Sal hoy y sé uno de los obreros de Dios!

Dios amoroso, sé que hay mucha gente en el mundo que necesita oír de tí. Muéstrame hoy con quien puedo compartir tu amor. Ayúdame a ser valiente y compartir tu nombre con todos. En el nombre de Jesús, amén.

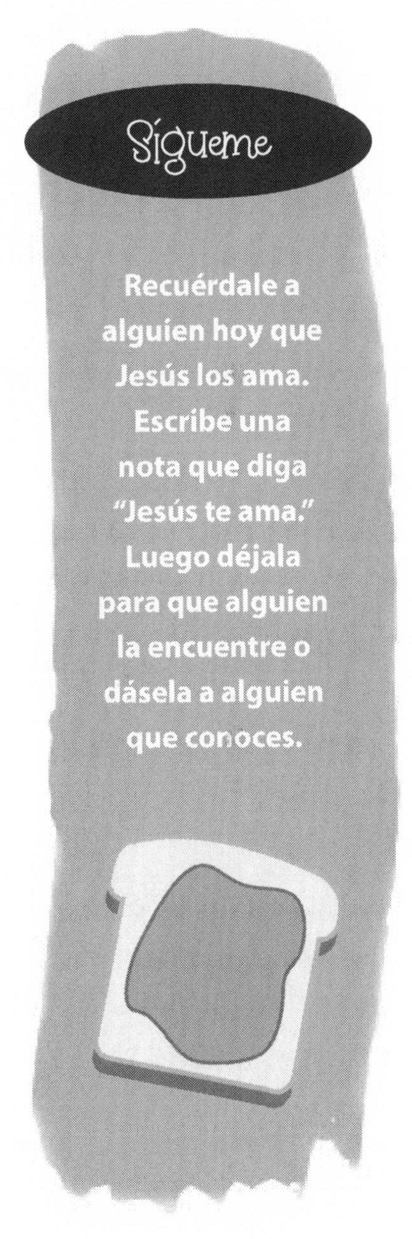

51

Jesús alimenta a los cinco mil

Juan 6:1-15

"Una vez que quedaron satisfechos, dijo a sus discípulos: 'Recojan los pedazos que sobraron, para que no se desperdicie nada. Así lo hicieron y, con los pedazos de los cinco panes de cebada que les sobraron a los que habían comido, llenaron doce canastas."
Juan 6:12-13

¡Mamá, tengo mucha hambre! ¡Necesito comida!

¿Alguna vez le has dicho eso a tu madre? Creo que todos hemos estado tan hambrientos a veces que pensamos que moriríamos. No es muy divertido cuando el estómago gruñe y no puedes encontrar comida.

Sólo puedo imaginar que así se sintieron las personas que siguieron a Jesús el día que lo siguieron al otro lado del mar de Galilea. Les encantaba escucharlo enseñar y predicar. Querían ir adonde iba para poder aprender más de él y ver más milagros que haría.

Pero cuando llegó el momento de cenar, los discípulos estaban listos para echar a todos porque necesitaban conseguir comida para ellos mismos. ¿Crees que Jesús quería eso? No. Este fue un momento oportuno para realizar otro milagro y para mostrar a la gente quien era para que pudieran creer aún más en él.

Los discípulos no estaban seguros de cual era el plan de Jesús. Sólo habían logrado encontrar cinco panes de cebada y dos peces pequeños de un niño en la multitud. ¿Cómo iba a alimentar a los 5,000 hombres (ni siquiera contando a las mujeres y los niños) con tan poca comida?

Pero Jesús sabía lo que estaba haciendo. Tomó el pescado y el pan, dió gracias, y lo distribuyó a todo el mundo. ¡La comida se multiplicó e incluso hubo sobras! Doce cestas de sobras para ser exacto. ¡Todo el mundo se sorprendió!

Ese día Jesús proporcionó la comida necesaria para alimentar a 5.000 personas y más. Y él sigue proporcionando lo mismo para todos nosotros hoy en día. Proporciona comida que necesitamos para sobrevivir. Nos proporciona agua para beber para mantenernos hidratados. Él proporciona todo lo que necesitamos en el momento exacto en que lo necesitamos. Puede que no nos provea de la manera que queremos que nos lo proporcione, pero definitivamente nos da lo que necesitamos cuando lo necesitamos. ¡Gracias a ti, Dios, por proveer para nosotros!

Dios misericordioso, gracias por darme lo que necesito. Gracias por darme lo suficiente para vivir. Ayúdame a estar siempre agradecido por las formas en que me cuidas. En el nombre de Jesús, amén.

52

Jesús camina sobre el agua

Mateo 14:22-33

"Pero Jesús les dijo en seguida: '¡Cálmense! Soy yo. No tengan miedo.'" Mateo 14:27

¿Alguna vez has visto esos pequeños insectos en ríos o lagos que se sientan encima del agua? ¿Los que parecen deslizarse por el agua sin hundirse?

Esos pequeños insectos son lo que a mí me gusta llamar insectos de Jesús. Los llamo así porque caminan sobre el agua. Me recuerdan a la historia de la época en que Jesús hizo otro milagro. Era algo que nadie más podía hacer.

Jesús acababa de terminar de alimentar a las 5000 personas. Estaba cansado, pero quería subir a la montaña solo, para orar. Así que mandó a sus discípulos en el barco y les dijo que los alcanzaría del otro lado. Y luego se fue a orar.

Más tarde esa noche Jesús estaba listo para reunirse con sus discípulos. Todavía estaban en el lago, y ¿cómo crees que llegó a ellos? No tomó otro barco para llegar a ellos. No se subió a una moto acuática. No nadó hacia ellos. Caminó hacia ellos, encima del agua.

¿Cómo reaccionarías si vieras a Jesús caminar hacia ustedes sobre el agua? Tengo la sensación de que estarías un poco asustado como lo estaban los discípulos. ¡Tenían tanto miedo porque pensaban que Jesús era un fantasma! Pero cuando Pedro se dió cuenta de que era Jesús, le preguntó a Jesús si podía venir a él en el agua. Jesús dijo a Pedro que viniera. ¡Y Pedro comenzó a caminar sobre el agua, también!

Pero una vez que Pedro se dió cuenta de lo que estaba haciendo, comenzó a hundirse. Y Jesús tuvo que salvarlo. Jesús le preguntó a Pedro, "¡Hombre de poca fé! ¿Por qué dudaste?" (Mateo 14:31).

¿Alguna vez has dudado de Jesús? ¿Alguna vez has sentido que algo era tan imposible que ni siquiera Jesús podía hacerlo? ¿Alguna vez dudaste de Jesús porque no creías que te escucharía?

La duda es algo que arrastramos en nuestras mentes. Puedes encontrar que dejas de orar por algo porque dudas de que Jesús responda a tu oración. Para qué molestarse, ¿verdad?

Niños: no necesitan dudar de Jesús. Él escucha tus oraciones. Él te ama. Él está contigo. Puede que no responda a tus oraciones de la manera que quieras, pero él te responderá porque se preocupa por ti. No dejes que la duda se apodere de tu mente y te impida tener fé en Jesús. Firmes en su fé. ¡Y sigue orando!

Dios poderoso, ayúdame a tener una fe fuerte en ti. Ayúdame a nunca dudar y a creer siempre en tí y en tu amor inquebrantable. Dame fuerza para perseverar y nunca dudar de tí. En el nombre de Jesús, amén.

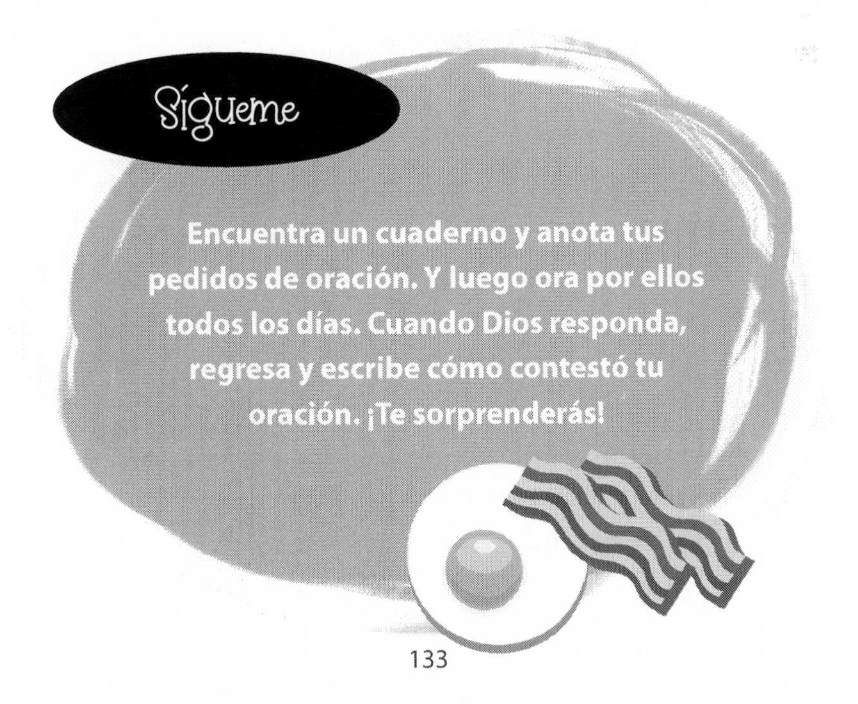

52

El pan de vida

Juan 6:35

"'Yo soy el pan de vida' declaro Jesús, 'El que a mi viene nunca pasará hambre, y el que en mí cree nunca más volverá a tener sed.'" Juan 6:35

¿Quieres saber algo sobre mí?

¡Me encanta el pan! Podría comer pan con cada comida e incluso como merienda. Me encanta el pan de sándwich, rollos de media luna, pan hawaiano, pan de calabaza, panecillos de cebolla, pero creo que mi pan favorito es una croissant. ¡Saben tan bien! (¡Tengo una amiga que posee su propia panadería y ella hace los mejores croissants!) ¡El pan es tan bueno!

En la historia bíblica de hoy, vemos que Jesús se llama a sí mismo el Pan de Vida. ¿Realmente está diciendo que es pan? Suena un poco confuso, ¿verdad?

Pero Jesús no dice literalmente que es pan. Les está diciendo a sus seguidores que él es todo lo que necesitan para vivir espiritualmente. Cuando aceptamos a Jesús y creemos en él, nos da la vida eterna. Él es el pan que puede ayudarnos a vivir para siempre.

¿Recuerdan la historia de los israelitas cuando Moisés los ayudó a liberarse del Faraón en Egipto? Vagabundearon por el desierto durante cuarenta años. ¿Qué les proporcionó Dios todos los días? ¡Maná, que es pan! Les dió pan para comer para que no tengan hambre y pudieran vivir. Pero Dios envió a su hijo a ser nuestro pan de vida hoy. Vino a este mundo para salvarnos y mostrarnos el camino para vivir para siempre.

Vuelve en este libro al versículo Juan 6:35. Jesús dijo que quien venga a él y crea en él nunca tendrá hambre ni sed. ¿Por qué? Porque es nuestro pan de vida. No importa lo que pase en tu vida, siempre es importante creer en Jesús y recordar que él está contigo. ¡Recuerda que Jesús es tu pan de vida eterna!

Pan de Vida, gracias por salvarme para que pueda vivir contigo para siempre. Ayúdame a recordar que nunca me dejas y siempre estás conmigo. Amen.

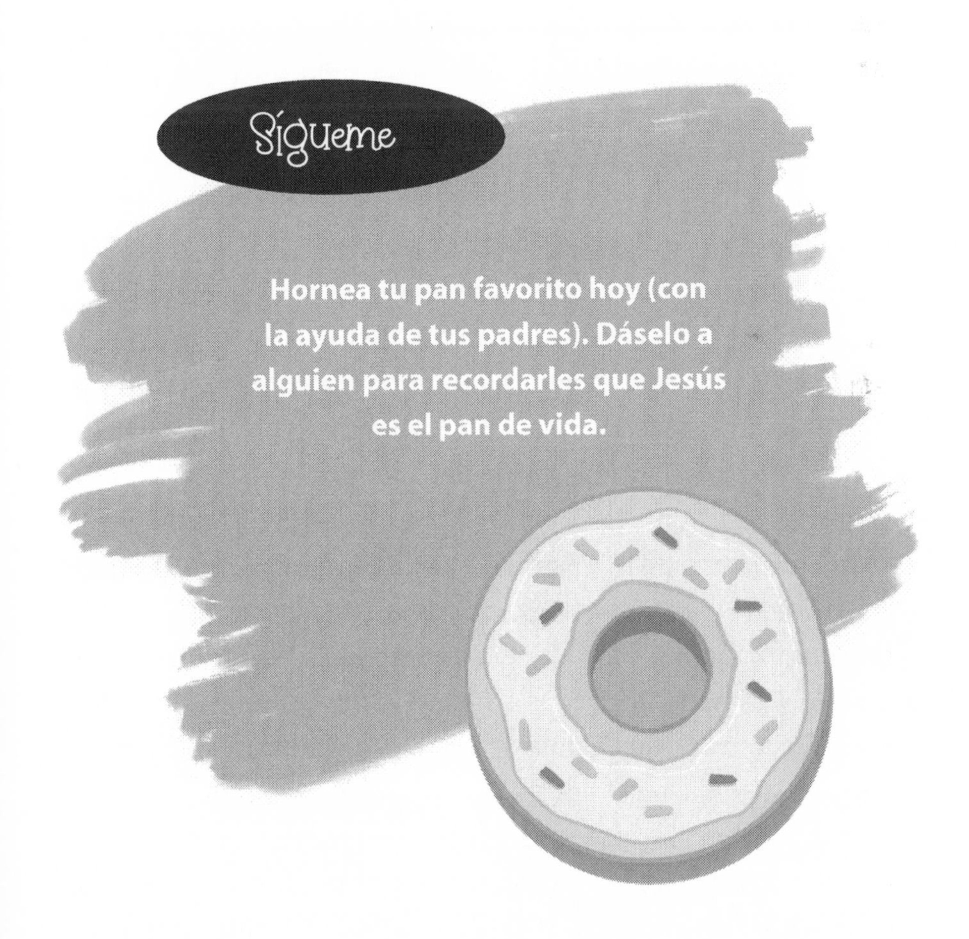

54

Enseñanza difícil

Juan 6:60-69

"Desde entonces muchos de sus discípulos le volvieron la espalda y ya no andaban con él." Juan 6:66

Cuando estás en la escuela, ¿hay algún momento en el que te sientes frustrado porque no puedes entender lo que el maestro está tratando de enseñarte? Para mí, fue tener que hacer matemáticas en mi mente. Hubo una época en cuarto grado en el que estábamos aprendiendo a devolver el cambio correcto sin usar una calculadora. El maestro hizo que cada uno de nosotros se levantara frente a la clase para hacer esto. Ella nos dijo cuanto costaba algo, nos dijo la cantidad de dinero que no dió para pagar por ello, y luego teníamos que devolverle la cantidad correcta de cambio. ¡Odiaba hacer esto tanto porque no podía hacerlo! Fue extremadamente difícil para mi hacer matemáticas en mi mente (y todavía es difícil hoy). Recuerdo que me sentía tan frustrada y dejé de intentar de aprender.

Eso es exactamente lo que sucedió con algunos de los discípulos en nuestra historia de hoy. Encontraron las enseñanzas de Jesús demasiado difíciles. El versículo 60 dice "al escucharlo, muchos de sus discípulos exclamaron 'Esta enseñanza es muy difícil; ¿quién puede aceptarla?'" Estaban frustrados por todo lo que Jesús les estaba enseñando. ¿Cómo podría alguien creer y seguir a Jesús exactamente como él decía? ¡Parecía imposible para ellos!

Entonces, esos discípulos se dieron por vencidos, tiraron la toalla, y dijeron "olvídalo, no vamos a seguir a Jesús." Ahora, sólo quiero señalar que los discípulos en el versículo de arriba no eran los doce discípulos que Jesús llamó a seguirlo. Las personas que lo seguían y creían en él también eran llamados discípulos. Los doce discípulos no se dieron por vencidos. Creían en Jesús y hicieron todo lo posible para seguirlo.

Seguir a Jesús es difícil. Habrá momentos en que tenemos que ser diferentes a los demás. Habrá momentos en que tenemos que hacer lo correcto, incluso cuando nuestros amigos hacen otra cosa. Será difícil de hacer, pero es ahí cuando debemos tener una fé fuerte en Jesús y confiar en él. Te ruego que no te rindas como hicieron algunos de los seguidores de Jesús. Oro que elijas caminar cerca de Jesús aun cuando los tiempos sean difíciles.

Creo en ti. Sé que puedes hacerlo. No te rindas cuando seguir a Jesús se pone muy difícil.

Señor, a veces me cuesta seguirte. Ayúdame a no rendirme cuando siguirte significa ir en contra de lo que otros están haciendo. Ayúdame a ser valiente a defenderte y a seguirte siempre. En el nombre de Jesús, amén.

Sígueme

Si aún no tienes una, compra una pulsera que dice ¿Qué haría Jesús? (O What would Jesus do en inglés). Puedes comprarlas en línea. Usa esa pulsera como recordatorio para seguir el camino de Jesús. Cuando te enfrentas a una decisión, ora y pregunta qué haría Jesús.

Pastel de café con mantequilla

(una vieja receta favorita de Cairo, Illinois)

Masa de pastel de café

Un paquete de levadura
¼ taza de agua tibia
1 taza de leche
¼ taza de la manteca
2 huevos
1 cucharadita de sal
½ taza de azúcar
4-5 tazas de harina

Disuelve la levadura en agua tibia. Calienta la leche y derrite la manteca en la leche caliente. Deja que se enfríe. Bate los huevos. Añade la sal y azúcar y mezcla. Añade la mezcla de leche y manteca y mezcla. Añade la levadura. Usando una batidora eléctrica, mezcla la harina en la masa una taza a la vez. Cubre con papel de cera y deja elevar dos horas o durante la noche. Cuando la masa se haya duplicado, ponla en un paño enharinado y amasa dando 200 golpes. Esto hace suficiente masa para 4 pasteles de café. Divide la masa. Enrolla la masa para que se quede bien a dos sartenes de 9x13. Pon la cobertura del pastel de café en la masa (ver la receta mas abajo) y deja en un lugar cálido durante dos horas. Hornea a 350 durante 15-20 minutos en el estante intermedio.

Cobertura del pastel de café

¼ taza de mantequilla
1 ½ tazas de azúcar
2 huevos
¼ taza de leche en polvo
2 cucharadas de harina
1 cucharadita de vainilla

Bate la mantequilla hasta que sea ligera y esponjosa. Añade el azúcar mientras que sigues batiendo. Añade los huevos uno a uno. Añade la leche en polvo, la harina, y la vainilla. Continue batiendo. La cobertura debe ser ligera y esponjosa. Unta la cobertura en la masa y sigue las instrucciones de arriba.

Algo para pensar

¿Por qué quieres alabar al Señor hoy?

55

Blanco deslumbrante

Lucas 9:28-36

"Mientras oraba, su rostro se transformó, y su ropa se tornó blanca y radiante." Lucas 9:29

¿Alguna vez has comprado un par de zapatos de tenis blancos nuevo, o pantalones cortos blancos, o una camisa blanca? Realmente los amas porque están tan limpios y brillantes. ¡A tus padres les encanta que estén limpios y brillantes, también! Pero seamos sinceros, no se quedan así, ¿verdad? Se transforman en un color insípido que es cualquier cosa menos brillante y limpio. Eso es lo que pasa cuando juegas duro afuera y te ensucias, ¿verdad?

Un día tres de los discípulos vieron a Jesús con ropa brillante y limpia y se asombraron de lo que vieron. Jesús había llevado a Pedro, a Santiago, y a Juan a una montaña para orar. Entonces algo le sucedió a Jesús mientras todos oraban, algo que nunca habían visto en sus vidas. La cara de Jesús comenzó a cambiarse y su ropa comenzó a brillar muy brillantemente. Eran de color blanco y nadie había visto algo tan brillante antes.

La Biblia llama a esto la transfiguración de Jesús. Esa es una palabra de "grandes" que significa cambiarse a algo que es más hermoso. Jesús definitivamente estaba cambiado frente a los ojos de los discípulos.

Nunca podremos ver que algo como esto, pero definitivamente podemos mirarnos a nosotros mismos para ver si podríamos transformarnos en algo más hermoso. Y no estoy hablando de tu apariencia física. No necesitas cambiarte el pelo, ni cambiarte de ropa, ni parecer diferente por fuera. Hablo de un cambio que puede ocurrir por dentro.

Cuando aceptamos a Jesús como nuestro Salvador, comenzamos a transformarnos en algo más hermoso por dentro. Vamos a querer ser una mejor persona y vivir más como él. Trataremos de cambiar nuestra actitud y ser más positivos que negativos. Trataremos de decir palabras amables a los demás en lugar de odiosas. Intentaremos todos los días ser como Jesús.

¿Siempre seremos perfectos? Absolutamente no. ¿Vamos a equivocarnos? ¡Por supuesto que si! Pero gracias a Jesús que nos perdona por equivocarnos, podemos intentarlo de nuevo todos los días.

Mírate a ti mismo hoy. ¿Qué puedes hacer para cambiar y ser más bueno por dentro?

Padre Dios, gracias por esta historia, ya que me recuerda la importancia de escuchar a Jesús. Amén.

Sígueme

La apariencia de Jesús cambió cuando fue transfigurado. En lugar de cambiar nuestra apariencia, cambiemos nuestra actitud para el día. Tal vez te despertaste sintiéndote gruñón o quejándote. Si es así, entonces transforma tu mala actitud en una buena actitud. Practica tener una buena actitud esta semana en todo lo que haces.

56

Escúchenlo

Marcos 9:7

"Entonces apareció una nube que los envolvió, de la cual salió una voz que dijo: 'Este es mi Hijo amado, ¡Escúchenlo!'" Marcos 9:7

¿Alguna vez deseas oír claramente la voz de Dios? ¿Deseas poder tener una conversación con él donde de verdad pudieras oírlo hablar contigo?

¡Tengo que admitir que yo pienso que ojalá pudiera! Hay momentos en mi vida en los que sólo deseo que Dios hable en voz alta para poder oírlo. Haría las cosas mucho más fáciles, ¿verdad?

Ayer, leímos la historia de la transfiguración de Jesús, cuando su apariencia cambió y él era súper brillante. Allí había tres discípulos con él (Pedro, Santiago y Juan). Esos discípulos lograron vivir algo muy especial ese día… ¡Oyeron la voz de Dios!

"Entonces apareció una nube que los envolvió, de la cual salió una voz que dijo: 'Este es mi Hijo amado, ¡Escúchenlo!" (Marcos 9:7).

¿Cuál habría sido tu reacción si fueras uno de esos discípulos? ¿Estarías emocionado? ¿Estarías asustado? Creo que yo podría haber experimentado todas esas emociones. Pero creo que me habría centrado más en lo que dijo Dios. Fue algo bastante importante y Dios quería que los discípulos lo oyeran. Y Dios quiere que escuchemos este mensaje también.

Aunque no podamos oír la voz de Jesús en voz alta, podemos saber cuando nos habla. Dios nos dió la biblia para leer. Así es como se comunica directamente con nosotros. Pero también puede enviar mensajes a través de la oración, a través de otras personas, a través de las devociones que lees, e incluso nos habla en el silencio.

Dios nos envió a Jesús y quiere que lo escuchemos. Así que tómate un tiempo hoy para estar callado y simplemente escuchar la voz de Dios. No podrás oírlo en voz alta, pero escucharás Su voz en tu corazón. Sólo tienes que estar quieto y escuchar.

Padre de todo, gracias por enviarme a Jesús. Ayúdame a tomarme el tiempo para estar quieto y escucharte hoy. En el nombre de Jesús, amén.

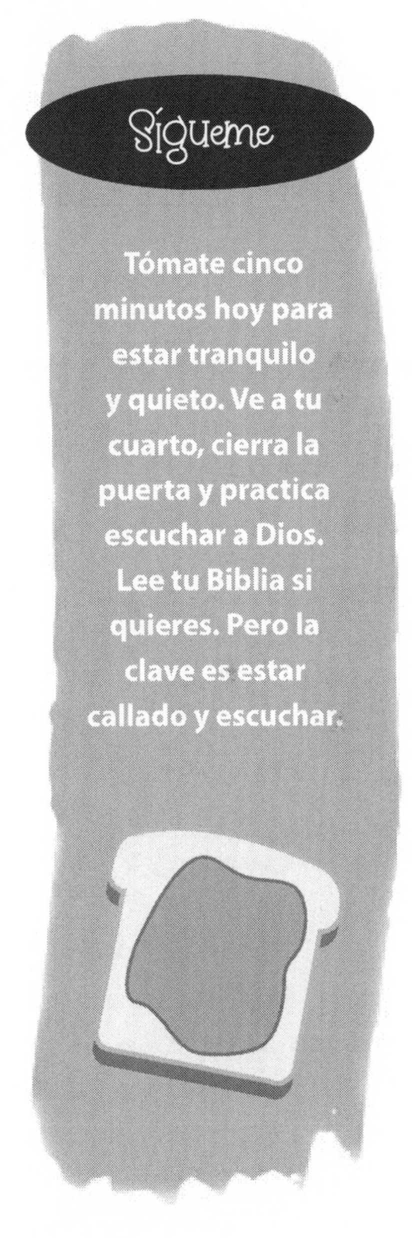

57

Jesús, el buen pastor

Juan 10:1-6

"Llama por nombre a las ovejas y las saca del redil."
Juan 10:3b

¿Te gusta cuando alguien usa tu nombre? Tal vez no cuando tienes problemas con tus padres o tu maestro. Pero a la mayoría, creo que nos encanta escuchar que alguien diga nuestros nombres. Nos hace sentir especiales, como si perteneciéramos, como si los demás nos amaran, como que somos conocidos.

¿Sabes que Jesús te ama y te llama por tu nombre?

En el capítulo 10 de Juan, vemos una historia que Jesús comparte con los fariseos. En esta historia está hablando de ovejas y un pastor. Puede parecer extraño que Jesús esté hablando de esto, pero la historia se relaciona a nuestra relación con Él.

Jesús es nuestro pastor, nuestro buen pastor, y nosotros somos sus ovejas. Dice en el versículo 3 "Llama a cada oveja por su nombre y las acompaña a salir." Sabe quién eres. Sabe tu nombre. Y nos llama a cada uno de nosotros para que lo sigamos.

Jesús continúa diciendo que las ovejas reconocen la voz del pastor. ¿Cómo sabemos cómo suena la voz de Jesús si no podemos oírla en voz alta?

Es posible que escuchen a Jesús hablándoles de otro modo como cuando lees la Biblia, a través de tus padres, maestro o amigos; o a veces tienes la sensación abrumadora de que debes o no debes hacer algo. Ese es el espíritu santo que te habla. Cuando creemos en Jesús, conocemos Su voz y lo seguimos.

Recuerda que Jesús te ama y él sabe tu nombre. Te llama para que lo sigas. Quiere tener una relación contigo y él puede hacer eso si lo estás siguiendo. Y eso significa hacer cosas que sabes que están bien y mantenerte alejado de las cosas que sabes que están mal.

Escucha la voz de Jesús. El está diciendo tu nombre.

Padre Dios, te agradezco por llamarme para seguirte. Ayúdame a escuchar atentamente cuando me llamas. Enséñame a obedecer todo lo que me pides y a ir a donde me lleves. En el nombre de Jesús, amén.

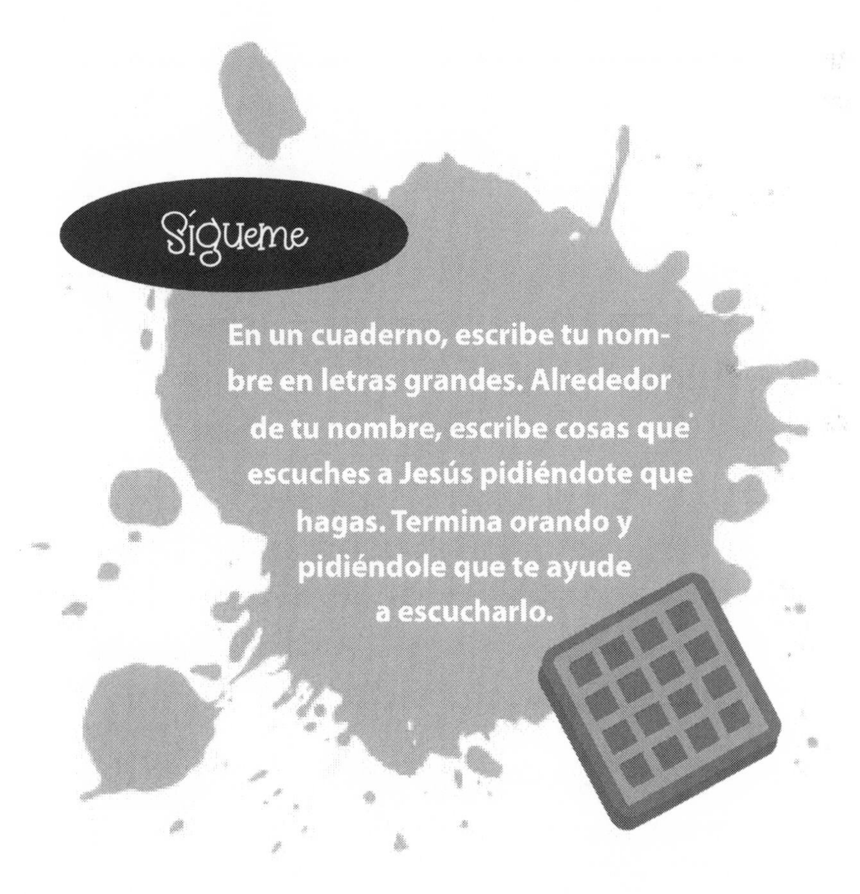

58

Parábola del buen samaritano

Lucas 10:25-37

"¿Cuál de estos tres piensas que demostró ser el prójimo del que cayó en manos de los ladrones? 'El que se compadeció de él' contestó el experto en la ley. Ve y haz lo mismo."
Lucas 10:36-37

En la parábola del buen samaritano, encontramos a Jesús hablando con un experto en la ley. Jesús comparte con él los mandamientos de "ama a tu prójimo como a ti mismo" (Lucas 10:27b). Entonces, el experto en la ley le preguntó a Jesús, "¿Y quién es mi prójimo?" (Lucas 10:29b). Aquí es cuando Jesús empieza a contar la parábola del buen samaritano.

Un hombre caminaba hacia Jerico y un grupo de ladrones se le acercó y lo golpeó. Lo lastimaron lo suficiente como para dejarlo cerca de la muerte. Tres personas diferentes pasaron por ese camino y lo vieron: un sacerdote, un levita y un samaritano. Se podría pensar que el sacerdote o levita serían los que lo ayudarían porque eran judíos como ese hombre, pero nunca se detuvieron a ayudarlo. El que lo ayudó fue un samaritano que lo llevó a una posada y ayudó a cuidarlo hasta que se recuperara.

Después de que Jesús les cuenta esta historia, dice que vayan y sean como el samaritano que era un buen prójimo del hombre que fue herido. Fue él quien lo amaba.

Entonces, ¿quién es tu prójimo? ¿Es sólo la gente que vive al lado de ti o los que viven en tu vecindario? Jesús diría que es cualquier persona en el mundo entero. Tus prójimos son los que viven al lado de ti, los que viven en tu ciudad, los que viven en tu estado, los que viven en tu país, y los que viven en el otro lado del mundo.

Jesús nos dijo "anda entonces y haz tú lo mismo" (Lucas 10:37b), lo que significa cuidar de nuestros prójimos tal como lo hizo el samaritano al hombre judío. Habla con tus padres sobre las maneras en que puedes ser un buen prójimo. Y sal hoy y se las manos y los pies de Jesús.

Buen padre, gracias por esta historia. Ayúdame a ser como el samaritano y ser un buen prójimo de los necesitados. Muéstrame maneras en las que puedo ayudar a los demás. En el nombre de Jesús, amén.

Sígueme

¿Sabías que hay niños en otros países que no pueden ir a la escuela o recibir ayuda medica? ¡Podrías ayudar a un niño necesitado hacer estas cosas! Tu familia puede patrocinar a un niño y ayudar a pagar sus necesidades educativas y médicas. Hay varias organizaciones buenas si deseas patrocinar a un niño. Compassion International, World Vision, y 410 Bridge son buenas.

Marta y María

Lucas 10:38-42

"'Marta, Marta' le contestó Jesús, 'estás inquieta y preocupada por muchas cosas, pero sólo una es necesaria. María ha escogido la mejor, y nadie se la quitará.'"
Lucas 10:41-42

¡Me encantan las fiestas! Me encanta tener gente en mi casa para cenar o ver un partido (nos encanta el fútbol y el fútbol americano). Me encanta tener los amigos de mis hijos para pasar el rato y nadar. Me encanta tener gente en mi casa.

Creo que yo podría ser un poco como Marta en la historia de hoy. Marta y María son hermanas que han abierto su casa para que Jesús venga a visitarlas. Marta está ocupada preparando la comida. Probablemente incluso se tomó mucho tiempo limpiando la casa antes que él llegara, también. (Hago lo mismo cuando tengo gente en mi casa).

Pero ella se enoja porque su hermana, María, no está haciendo nada para ayudarla. Ella no está ayudando a preparar la comida. ¿Qué está haciendo? Ella está sentada a los pies de Jesús escuchándolo enseñar. Entonces Marta hace algo que tú puedes haber hecho antes con tu hermana. ¡Ella acusa a María! Ella se acerca a Jesús y le dice que María no está haciendo nada para ayudarla alrededor de la casa. Y luego ella le dice a Jesús que él necesita hacer que la ayude. ¿Habrías hecho lo mismo?

Jesús utiliza este momento para enseñarle a Marta una lección importante. Él le dice que no se preocupe ni se enfade por todas las cosas que tiene que hacer. Él le dice que sólo tiene que hacer una cosa, y es ser como María y sentarse y escucharlo. Básicamente, él está diciendo que no esté tan ocupada que se olvide de lo más importante, y eso es escuchar y aprender de Jesús.

¿Alguna vez descubres que tu vida está llena de muchas cosas? Escuela, tareas, proyectos, deportes, danza, o música. A veces esas cosas pueden llenar tu horario donde sientes que ni siquiera tienes cinco minutos para pasar con Jesús. Rezo por que trabajes duro para tener tiempo cada día para rezar y leer tu Biblia. Esta es una parte muy importante de ser un buen seguidor de Jesús. Debemos tomar tiempo para aprender y escucharlo.

Padre Dios, gracias por la historia de Marta y María. Ayúdame a ser más como María y tomar el tiempo para sentarme a tus pies y escuchar y aprender de Ti. En el nombre de Jesús, amén.

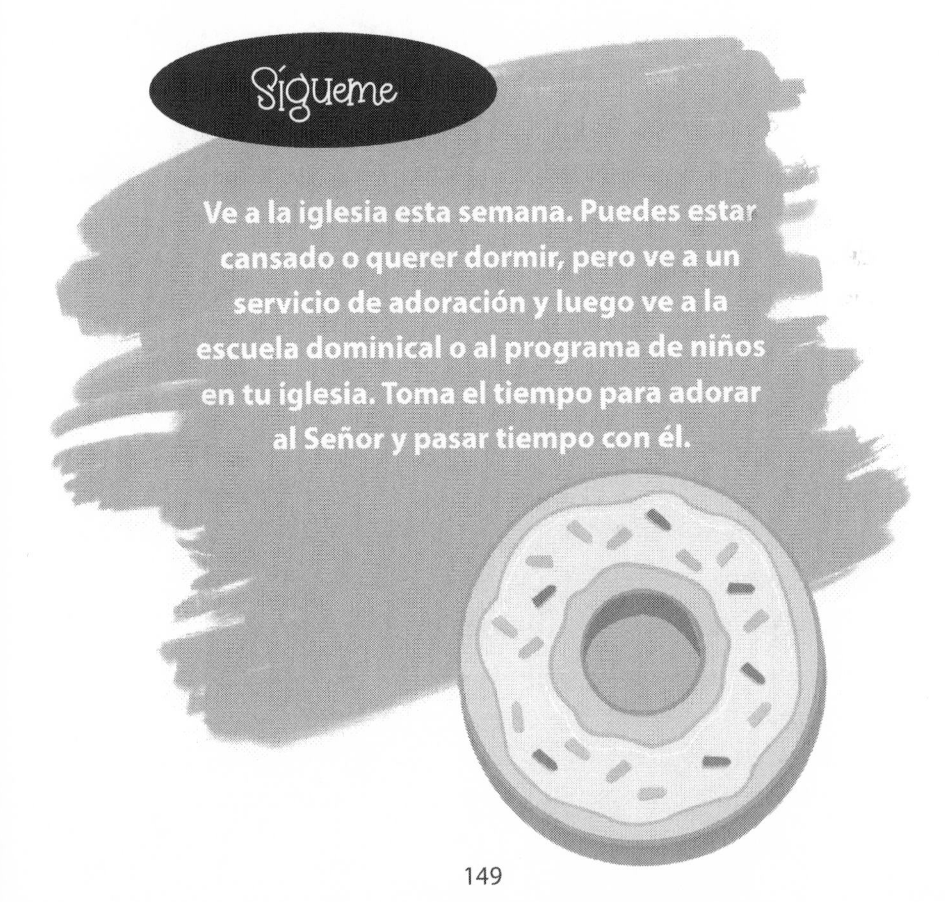

60

Parábola del gran banquete

Lucas 14:15-24

"Al oír esto, uno de los que estaban sentados a la mesa con Jesús le dijo: '¡Dichoso el que coma en el banquete del reino de Dios!'" Lucas 14:15

¿Alguna vez has estado en un banquete muy grande? ¿Uno con una mesa grande de comida? Un banquete es donde te sientas en una mesa con gente que conoces o incluso algunos que no conoces, y te sirven tantos platos de comida como quieras, hasta que tu panza no aguanta más.

Este es el tipo de banquete que creo está en nuestra historia de hoy sobre la parábola del gran banquete. Jesús habla de un hombre que preparó mucha comida e invitó a muchas personas a que vinieran. Envió a sus sirvientes a decirles a todos los que había invitado que todo estaba listo.

Pero cuando salieron los sirvientes, todos los invitados que el hombre había invitado le dijeron que no podían venir. Les dieron excusa tras excusa de por qué no podían venir. Básicamente, estaban demasiado ocupados y era una molestia ir a un gran banquete.

Así que el hombre les dijo a sus sirvientes que volvieran e invitaran a cualquiera a su banquete. Les dijo que salieran a las calles de la ciudad y trajeran a "los pobres, los inválidos, a los cojos y a los ciegos." (Lucas 14:21). Abrió su banquete a cualquier persona en la ciudad. Sólo quería que la gente viniera a comer.

Jesús relaciona esta historia con comer en una fiesta en el reino de Dios. Todas las personas están invitados al cielo a vivir con Jesús para siempre. Pero muchas personas le dicen a Jesús que están demasiado ocupados o no tienen tiempo para él. O incluso que no creen en él. Tiran la invitación que Jesús les da y eligen hacer lo suyo. Me entristece ver a personas que eligen no creer en Jesús. Quiero que todos conozcan a Jesús como su salvador.

Rezo que acepten la invitación que Jesús les da para vivir para siempre con él. Dénle su corazón a Jesús y síganlo. Pasa tiempo con él todos los días y escúchalo. Luego el día que llegues al cielo comerás en el gran banquete en el reino de Dios.

Jesús, gracias por invitarme a el gran banquete en el cielo. Ayúdame a aceptar esta invitación y siempre seguirte. En el nombre de Jesús, amén.

Sígueme

Pregúntale a tus padres si puedes organizar una fiesta en tu casa. Con la ayuda de tus padres, planifica un menú y prepara la comida. ¡Invita a que venga gente y disfruta de la fiesta!

Ensalada de frutas

Puedes usar cualquier fruta de tu elección, pero aquí están mis frutas favoritas para poner en una ensalada:

Bananas, cortadas en cubitos
Manzanas, cortadas en cubitos
Piña, cortada en cubitos
Uvas
Fresas, cortadas en cubitos
Kiwi, pelado y cortado en cubitos
Durazno, cortado en cubitos
Naranja, pelada y cortado en cubitos

¡Combina todas las frutas en un tazón grande y sírvelas!

Algo para pensar

¿Quién es tu personaje favorito de la Biblia y por qué?

61

Parábola de la oveja perdida

Lucas 15:1-7

"Les digo que así es también en el cielo: habrá más alegría por un solo pecador que se arrepienta que por noventa y nueve justos que no necesitan arrepentirse." Lucas 15:7

¿Alguna vez has perdido un juguete? ¿Lo buscaste o lo consideraste completamente perdido y te rindiste?

Si es un juguete que realmente amabas, asumo que lo seguirías buscando hasta que lo encuentras. Pero a pesar de que lo buscaste y no pudiste encontrarlo, lo consideraste una causa perdida y te rendiste. ¿Era realmente tan importante para tí?

Estoy tan agradecida que Jesús nos dice que nunca dejará de buscarnos si estamos perdidos. Vemos esto en la parábola de las ovejas perdidas. Un pastor saca sus cien ovejas al campo. Mientras está fuera pierde a una de las ovejas. Entonces, ¿qué hace? Deja a las noventa y nueve y va en busca de la oveja perdida. ¿Por qué habrá hecho eso? ¿Por qué importa tanto esa oveja?

Cuando encuentra su oveja perdida se regocija y les pide a sus amigos que se regocijen con él. El pastor quiere tener una celebración porque su oveja ha sido encontrada. Ama a todas sus ovejas y está muy agradecido de que estén de vuelta con él.

En esta historia, Jesús es el pastor y nosotros somos las ovejas. Puede haber momentos en tu vida cuando te pierdes, lo que significa que dejas de seguir a Jesús. Dejas de orar. Dejas de leer tu Biblia. Estás perdido y separado de Jesús.

Rezo que esto nunca te pase a ti. Pero si alguna vez sucede, debes saber esto...Jesús nunca dejará de buscarte. Él trabajará duro para traerte de vuelta a él. Nunca se rendirá ni considerará que eres una causa perdida. ¿Por qué? Porque te quiere mucho. Quiere que lo sigas siempre y confíes en él.

¿Qué pasa cuando Jesús encuentra a esa persona que se ha alejado de él? Hay mucho regocijo y celebración en el cielo. Todo el reino se regocijará de que han sido encontrados y están de vuelta en los brazos de Jesús. Habrá una gran fiesta en ell cielo porque se ha encontrado a una persona perdida. ¡Qué razón increíble para celebrar!

Buen pastor, gracias por no darte por vencido, aunque haga cosas que están mal. Perdóname y ayúdame a seguirte siempre. En el nombre de Jesús, amén

Sígueme

¿Hay alguien que conozcas que haya aceptado recientemente a Jesús en sus corazones o haya sido bautizado? Si conoces a alguien, ¿por qué no hacer una fiesta para ellos? Invítalos a ellos y a algunos otros amigos a tu casa y celebra que decidieron conocer más a Jesús. ¡Es una gran razón para celebrar!

62

Parábola de la moneda perdida

Lucas 15:8-10

"Les digo que así mismo se alegra Dios con sus ángeles por un pecador que se arrepiente." Lucas 15:10

¡Lo encontré! ¡Lo encontré! ¡Estoy tan agradecida de haber encontrado mi centavo perdido!

Permítanme ser honesta por un momento y decir que probablemente nunca he pronunciado esas palabras en mi vida sobre un centavo perdido. Seamos sinceron, los centavos no valen mucho. Si pierdo uno, realmente no me importa. Definitivamente no voy a destrozar mi casa en busca de eso. Simplemente no vale la pena para mí.

La mujer que vemos en la parábola de hoy es lo opuesto a mí. Necesito ser más como ella.

Esta mujer tiene diez monedas de plata. Por alguna razón una de esas monedas desaparece. Esta moneda es valiosa para ella y ella quiere encontrarla. Por eso es que barre toda la casa y busca con mucho cuidado. Les apuesto a que cuando encontró la moneda de plata que estaba buscando puede haber gritado las mismas palabras que escribí arriba: "¡La encontré! ¡La encontré! ¡Estoy tan agradecida de haber encontrado mi centavo perdido!" Después de que la encuentra, ella va y busca a sus vecinos y les pide que se regocijen con ella. ¡Es un día emocionante para ella!

Jesús relaciona esta historia de encontrar una moneda perdida con el pecador (alguien que hace algo malo) que pide perdón. Jesús dice que hay mucho regocijo en el cielo cuando un pecador se arrepiente de sus pecados. ¡Definitivamente es un día de regocijo!

¿Con qué frecuencia le pides a Dios perdón por tus pecados? Tal vez hay días en los que te olvidas. Y está bien. Aquí hay algo que podría ayudarte a recordar de pedir perdón. Todos los días cuando rezo empiezo alabando a Dios, luego pido perdón por mis pecados (incluso nombrando los pecados en voz alta que puedo recordar), doy gracias a Dios por toda la bendición que me ha dado, rezo por los demás, rezo por mi misma y luego termino alabando a Dios de nuevo. Este modelo de momentos de oración me ha ayudado a recordar de arrepentirme de mis pecados diariamente.

Somos pecadores. Pecamos todos los días. Pero estoy tan agradecida de estar al servicio de Jesucristo que vino a morir por nuestros pecados y que nos perdona cada vez que nos arrepentimos de los pecados que hemos hecho. Recuerda orar todos los días y pedirle a Jesús que te perdone de todos tus pecados. Habrá mucho regocijo en el cielo cuando lo hagas.

Sígueme

Encuentra una hoja de papel y escriba los pecados que recuerdas haber cometido. Reza y pide a Dios que los perdone. Entonces toma un marcador rojo y escribe muy grande arriba de ellos "PERDONADO." Este es un gran recordatorio visual de que Jesús te ha perdonado.

Dios amoroso, por favor perdóname de todos los pecados que he cometido contra tí. Gracias por esta historia que me ayuda a ver que eres feliz cuando vengo a tí y busco el perdón de mis pecados. Ayúdame a recordar de hacer esto todos los das. En el nombre de Jesús, amén.

63

Parábola del hijo perdido

Lucas 15:11-32

"Pero teníamos que hacer una fiesta y alegrarnos, porque este hermano tuyo estaba muerto, pero ahora ha vuelto a la vida; se había perdido, pero ya lo hemos encontrado."
Lucas 15:32

Tengo fé que si tienes un hermano o hermana peleas con ellos. Te enojas cuando no comparten juguetes. O te enfadas cuando no te ayudan a hacer algo. O tal vez haces algo malo y les cuenta a tus padres lo que hiciste. Peleas para decidir que programas de televisión o películas van a ver, quien puede jugar con el videojuego, quien puede elegir donde sentarse en el coche, y tal vez incluso quién llega a comer el último pedazo de pizza. Hay tantas cosas que tu hermano o hermana hace o que le haces a tu hermano o hermana que causa peleas.

En la parábola del hijo perdido que Jesús comparte en la lección de hoy, vemos a dos hermanos que no se llevan bien. El hermano menor decide que quiere la parte de la herencia de su padre ahora, y le pide a su padre el dinero y se muda a vivir por su cuenta. El hermano mayor se queda en casa y trabaja duro para su padre en el campo ayudando a cuidar de los animales.

Sin embargo, las cosas no salen tan bien para el hermano menor y gasta todo su dinero y no tiene nada con que vivir. Encima para empeorar las cosas, viene una escasez de comida sobre la tierra. Entonces el hermano menor tiene mucha una necesidad de comida y está que se muere de hambre.

Entonces, el menor se traga su orgullo y regresa a casa para rogarle a su padre que lo perdone. Pero antes de que pueda hacer algo, su padre sale corriendo y se encuentra con él en el camino y está muy contento de verlo. Cuando le pide a su padre que lo perdone, el padre hace algo de locos. ¡Les dice a sus sirvientes que preparen una fiesta porque es un día para celebrar!

Cuando el hermano mayor se entera de esta celebración, está furioso. ¿Por qué celebraría a un hijo que no hizo nada bien? Si alguien merecía una celebración, era él porque era el hijo que se quedó con su padre y trabajó duro para él.

Esta historia es otra forma en la que Jesús nos explica que siempre nos perdonará nuestros pecados cuando volvamos a él. En esta historia, Jesús es el padre indulgente y nosotros somos el hermano menor. No importa lo que hayamos hecho para pecar contra él, siempre nos perdonará cuando vengamos a él y le pidamos perdón. ¿Por qué? Porque nos ama tanto y no quiere nada más que nosotros estemos con Él para siempre en el cielo. Ojalá recuerden buscar el perdón de Jesús hoy.

Señor Jesús, te pido que me perdones de todos mis pecados. Ayúdame a estar cerca de tí y seguirte. Te amo, Señor. Amén.

Practica el perdón con tu hermano o hermana hoy. Si hacen algo para lastimarte o molestarte, muéstrales bondad y diles que los perdonas. ¡A continuación, dales un gran abrazo!

Jesús sana a diez leprosos

Lucas 17:11-19

"Uno de ellos, al verse ya sano, regresó alabando a Dios a grandes voces. Cayó rostro en tierra a los pies de Jesús y le dio las gracias, no obstante que era samaritano."
Lucas 17:15-16

A nadie le gusta estar enfermo. Cuando estás enfermo no tienes ganas de jugar afuera; quieres acostarte en el sofá, dormir y ver películas. También deseas estar sano, que el medicamento funcione, o que el virus que tienes desaparecezca. Quieres ser curado.

Los leprosos que Jesús encontró en la historia de hoy anhelaban estar bien también. La lepra era una enfermedad de la piel que creaba manchas escamosas en la piel. Era muy contagiosa, así que nadie quería estar cerca de alguien que tuviera lepra. Los leprosos (personas que tenían lepra) tenían que vivir en sus propias ciudades. Si estaban alrededor de otros que no tenían la enfermedad, tenían que gritar "sucios" para que nadie se acercara a ellos. Pero Jesús vino y mostró compasión hacia los leprosos.

En esta historia, Jesús está viajando a Jerusalén a lo largo de la frontera entre Samaria y Galilea. Mientras se dirigía a un pueblo, hombres con lepra se le acercaron. La mayoría de la gente se habría asustado y gritado para que se fueran, pero no Jesús. Creo que estos leprosos habían oído historias de que Jesús podía sanar y todo lo que querían era ser curados de esta terrible enfermedad.

Jesús les muestra compasión y les dice que vayan a los sacerdotes para ser sanados. ¿Y adivinas qué? ¡Fueron curados! ¿Te imaginas la reacción de estos leprosos después de haber sido curados?

¡Tenían que estar bailando y saltando y gritando de alegría! Yo hubiera creído que todos ellos habrían corrido a encontrar a Jesús para agradecerle por curarlos.

¿Pero sabes qué? Sólo uno de los diez hombres regresó para agradecer a Jesús. ¡Sólo uno! Y este hombre que regresó era un samaritano (alguien que a los judíos no les gustaba). ¿Por qué no regresaron los otros leprosos para agradecer a Jesús?

Esta historia me recuerda de nuestra necesidad de siempre dar gracias a Jesús, especialmente después de que nos sana de nuestra enfermedad. ¿Cuántas veces has agradecido a Jesús por curarte cuando estabas enfermo? Esa idea puede no haber cruzado nunca por tu mente. Pero espero que esta historia te recuerde siempre a Jesús, no sólo cuando te ha sanado, sino incluso cuando estás bien. Debemos agradecer continuamente a Jesús por todo lo que nos da y todo lo que hace por nosotros.

Padre Dios, gracias por las veces que me has sanado cuando estoy enferma. Gracias por todo lo que me has dado. Ayúdame a dar gracias a tí en todo momento. En el nombre de Jesús, amén.

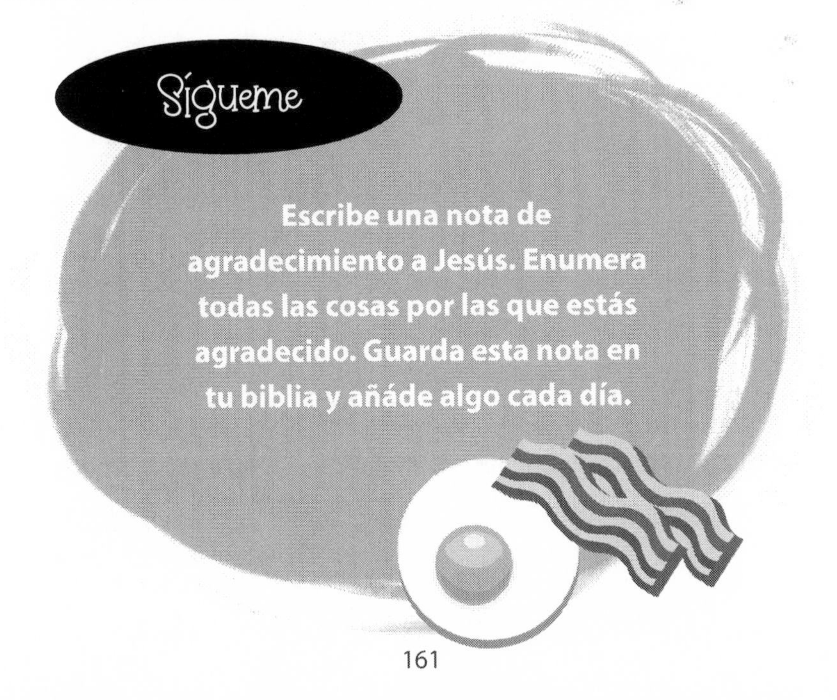

65

Jesús y los niños

Marcos 10:13-16

"Y después de abrazarlos, los bendecía poniendo las manos sobre ellos." Marcos 10:16

Imagina que estás viviendo en tiempos bíblicos. Estás entre una multitud de personas con tus padres. Tus padres han oído de Jesús y creen en él. Creen que él es de Dios y ha venido a salvar a todos. Te han traído a este lugar con toda esta gente hoy porque quieren que recibas una bendición de Jesús.

Hay tanta gente de pie alrededor a Jesús que te preguntas si alguna vez tendrás la oportunidad de verlo de cerca. ¡Tú y tus padres realmente quieren verlo! Pero los discípulos hacen algo que te hace pensar que eso nunca sucederá. Ellos comienzan a decirle a la gente que se vaya. Dicen que Jesús no tiene tiempo para bendecir a los niños. Hay demasiada gente allí y debe ocuparse de otros asuntos. Empiezan a decirles a tí y a tus padres que se vayan.

Cuando Jesús ve lo que sus discípulos están haciendo, ¡se enoja! No puede creer que sus amigos le están diciendo a la gente que se alejen de él, especialmente los niños. Ama a los niños y quiere que sepan que él también los cuida.

Entonces dice algo que trae una sonrisa a tu cara. "Dejen que los niños vengan a mí, y no se lo impidan, porque el reino de Dios es de quienes son como ellos." (Marcos 10:14). Entonces Jesús te ve a ti y a los otros niños y les pide que vengan hacia él. Los rodea a todos con sus brazos y les da un gran abrazo. Pone su mano sobre cada uno de ustedes y dice una bendición especial. Qué momento tan poderoso para ti y los otros niños.

Quiero que recuerdes esta historia que se encuentra en el libro de Marcos. Cuando haya momentos en los que sientas que no le importas a Jesús, lee esta historia. Cuando haya momentos en los que sientas que no eres importante, lee esta historia. Cuando haya momentos en los que todo lo que quieres es que Jesús te oiga y te vea, lee esta historia. Esta historia te recordará todas esas cosas. Le importas a Jesús. Eres amado por Jesús. Eres importante para Jesús. Jesús te ve y te oye.

Cerraré con una canción de mi infancia que me recuerda al amor de Jesús por todos los niños:

"Jesús ama a los niños pequeños, todos los niños del mundo; rojos y amarillos, negros y blancos, tienen valor en sus ojos; Jesús ama a los niños pequeños del mundo."

Gracias, Jesús, por amarme. Ayúdame a recordar esto todo el tiempo. Amén.

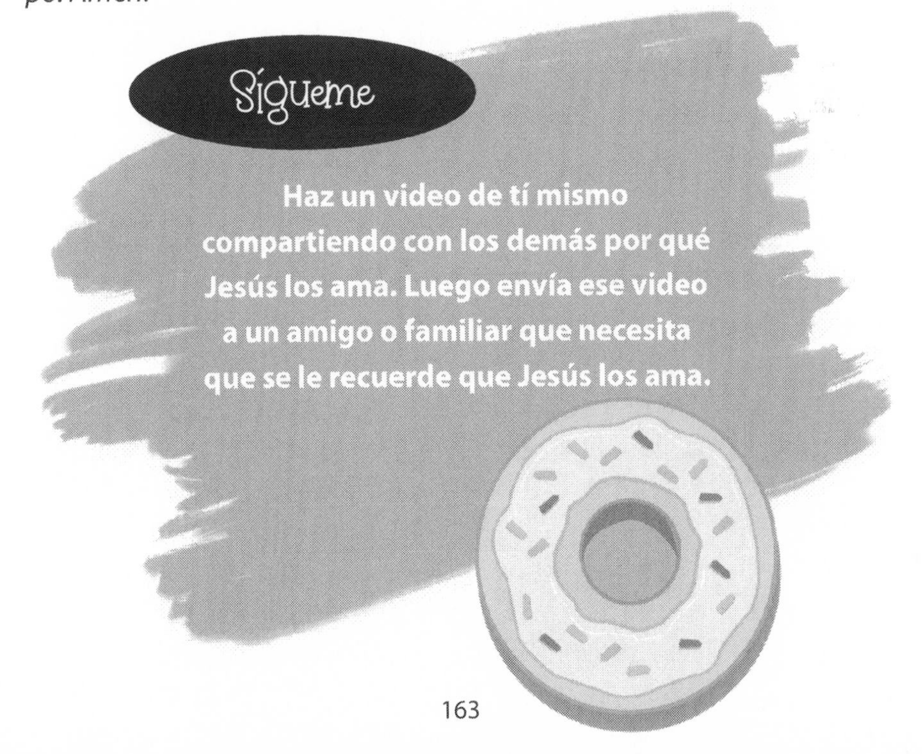

66

El ¿joven rico y el reino de los cielos

Mateo 19:16–26

"'Para los hombres es imposible,' aclaró Jesús, mirándolos fijamente, 'mas para Dios todo es posible.'" Mateo 19:26

Algunas cosas parecen imposibles, ¿verdad? Hacer un gol de baloncesto desde la mitad de la cancha, patear un gol de 60 yardas en fútbol americano, limpiar tu habitación, sacar esa mancha de barro de tu camisa blanca, comer todas las espinacas durante la cena, resolver ese problema confuso de matemáticas en tu tarea. Hay tantas cosas que crees que no se pueden hacer.

Así se sintió el hombre rico cuando le hizo una pregunta a Jesús. "Maestro, ¿qué tengo que hacer de bueno para obtener la vida eterna?" (Mateo 19:16). La respuesta de Jesús fue guardar todos los mandamientos. El hombre dijo que hizo todo eso, pero Jesús dijo una cosa que ese hombre realmente no quería hacer. Jesús le pidió que vendiera todas sus posesiones y se las diera a los pobres.

Este hombre era muy rico. Tenía mucho dinero y no estaba seguro de si podía renunciar a todo su dinero más todas sus posesiones para seguir a Jesús. Parecía imposible.

Jesús continúa diciendo que "le resulta más fácil a un camello pasar por el ojo de una aguja, que a un rico entrar en el reino de Dios" (Mateo 19:24). Cuando los discípulos oyeron a Jesús decir eso, le preguntaron quien podría ser salvado, ¡porque lo que acaba de decir parecía imposible!

Jesús explica que "para los hombres es imposible, pero para Dios es posible." (Mateo 19:26). Nuestras mentes no pueden imaginarse siquiera haciendo lo que Jesús dijo. ¿Cómo podríamos renunciar a todo para seguirlo? No creo que Jesús estuviera diciendo que este hombre realmente necesitaba regalar cada cosa que poseía. Pero Jesús estaba diciendo que necesitaba renunciar a su riqueza y compartir con los demás.

¿Cuáles son algunas cosas que amas y no puedes imaginar tener que sacrificarlas? Tal vez esas son las cosas que Dios te está llamado a renunciar para que puedas tener una relación más cercana con él. Tal vez esas son las cosas que te impiden caminar con Jesús. Te invito a pensar en que cosas pueden ser que debes sacrificar y luego orar y pedirle a Dios que te ayude a dejarlas. Podría ser un videojuego que juegas todo el tiempo, un programa de televisión que ves que no es algo que realmente deberías estar viendo o diciendo palabras feas a tu hermano o hermana. No importa lo que sea, escucha a Dios y síguelo. Él puede ayudarte a superar lo que parece imposible.

Dios de todos, ¿qué cosas me impiden acercarme a tí? Muéstrame cuales son esas cosas y ayúdame a ver que es imposible rendirme para poder seguirte con todo mi corazón. Amén.

Sígueme

¿Comes en restaurantes? ¿O tomas mucho helado? Piense en dejar de comer fuera una vez a la semana. Toma el dinero que normalmente usarías para eso y dáselo a tu iglesia o a una organización que alimenta a las personas sin hogar.

Panecillo casero

2 tazas de la harina con levadura
½ taza de la leche cuajada
2 cucharadas de aceite vegetal

Mezcla los ingredientes y añade suficiente agua para humedecer y suavizar la mezcla. Usa una cucharada grande para vertir la mezcla en una sartén engrasada con spray de cocción. Hornea a 400 grados hasta que estén doradas. La mezcla hace 8 panecillos. Estos quedan muy bien servidos con mermelada de manzana.

Algo para pensar

¿Cómo puedes levantarte y servir al Señor hoy?

67

Parábola de los trabajadores de viñedos

Mateo 20:1-16

"Así que los últimos serán primeros, y los primeros, últimos." Mateo 20:16

Imagina este escenario: has sido contratado para hacer un trabajo. Te contrataron a las 9 de la mañana. Cuando tu jefe ve que hay mucho más trabajo que hacer, sale y encuentra ayuda para tí. Los otros comienzan a trabajar al mediodía. Pero luego ve que necesitas aún más ayuda, por lo que contrata a más trabajadores y comienzan a trabajar a las 3 de la tarde. Luego sale una vez más para encontrar ayuda para tí (es un gran trabajo). Y esos trabajadores comienzan a las 6 de la noche.

El día llega a su fin y es hora de que todos reciban el pago. El jefe paga primero a los trabajadores de las 6 de la noche y ellos reciben $100. Luego paga a los trabajadores de las 3 de la tarde y ellos reciben $100. Luego paga a los trabajadores del mediodía y reciben $100. Cuando se les pague a los trabajadores de las 9 de la mañana, estás pensando que tu cheque será más de $100 porque trabajaste más tiempo. ¿Pero adivina qué? ¡Sólo te pagan $100! ¡Estás muy molesto! No entiendes por qué a todos les pagaron la misma cantidad. Trabajaste mucho más que nadie y mereces más dinero. ¡No es justo!

Estoy seguro de que has oído a tus padres o a tu maestro decir que "la vida no es justa." ¿No odias cuando dicen eso? ¿Por qué la vida no es justa? ¿Por qué no te pagarán más si trabajas más tiempo? ¡Simplemente no es justo!

Creo que Jesús cuenta esta parábola que enseñarnos una cosa, todos los que creen en Jesús y lo aceptan como un salvador vivirán en el cielo para siempre con él. No importa si empiezan a creer en él cuando tienen 5 años o cuando tienen 75. No importa cuánto tiempo hayan creído en Jesús, todos los hijos de Dios vivirán en el cielo si creen en él. Y no debemos enfadarnos si hemos aceptado a Jesús como un niño y otras personas no cree hasta que son viejos.

Jesús quiere que todos sus hijos crean en él y es feliz cuando lo hacen, no importa la edad que tengan. Nos ama a todos de la misma manera. Recordemos eso y hagamos todo lo posible para que los demás sepan de él para que puedan creer en él y vivir en el cielo un día también.

Dios todopoderoso, gracias por aceptar a todos los que creemos en ti. Ayúdame a ser un buen testigo y a ser que otros sepan que eres nuestro Salvador. En el nombre de Jesús, amén.

Sígueme

¿Ganas una asignación semanal por hacer tareas en casa? Si es así, ahorra este dinero y luego dáselo a alguien necesitado. Podría ser alguien que necesita ayuda para comprar comestibles, alguien que necesita ayuda con dinero para gasolina para su carro, o alguien que no puede permitirse comprar ropa nueva. No importa lo que sea, da tu dinero para ayudar a otro hijo de Dios.

68

La muerte de Lázaro

Juan 11:1-16

"Cuando Jesús oyó esto, dijo: 'Esta enfermedad no terminará en muerte, sino que es para la gloria de Dios, para que por ella el Hijo de Dios sea glorificado.'" Juan 11:4

¿Qué haces cuando te enteras de que alguien está enfermo y en el hospital?

Si lo conoces muy bien, pueda que tú y tus padres vayan a visitarlo al hospital. Tal vez le envíen una tarjeta o algunos globos. Probablemente también oras por ellos, tal vez con tu familia en la mesa a la hora de cenar o antes de dormirte. Tus padres pueden incluso preparar comida y llevársela a su familia para que no tengan que preocuparse por cocinar.

Lázaro era el hermano de María y Marta. Era un buen amigo de Jesús. Jesús amaba a Lázaro y a sus hermanas. Eran amigos íntimos. Cuando Jesús oyó que su amigo Lázaro estaba enfermo, probablemente estaba triste. La Biblia no nos dice. Pero lo que si dice es lo que encontramos en el versículo 4. Jesús nos dice que la enfermedad de Lázaro no terminará con la muerte, sino que es para la gloria de Dios. Sus discípulos probablemente no sabían de lo que Jesús estaba diciendo.

¿Qué creen que hizo Jesús después de que él descubrió que Lázaro estaba enfermo? ¿Crees que se fue directamente a la casa de Lázaro?

¡No, no lo hizo! ¡Se quedó en casa durante dos días enteros! ¿Puedes creerlo? ¿Por qué Jesús se quedó durante dos días y no hizo nada para ayudar a su amigo enfermo? ¡No tiene sentido!

Pero lo que amo de Jesús es que tiene una razón para todo lo que hace. No siempre entendemos por qué hace lo que hace (o no hace). No sabemos (y nunca lo entenderemos) por qué Jesús hace las cosas que hace. Había una razón por la que Jesús esperó dos días para ir a ver a Lázaro y visitarlo. Y sabremos de la razón en la devoción de mañana.

Así que si estás confundido y no sabes por qué algo está sucediendo en tu vida, confía en Jesús. El lo tiene bajo control y dispone todas las cosas para el bien.

Dios glorioso y amoroso, confieso que a veces no entiendo por qué suceden ciertas cosas. Ayúdame a no preocuparme, sino a confiar en ti. En el nombre de Jesús, amén.

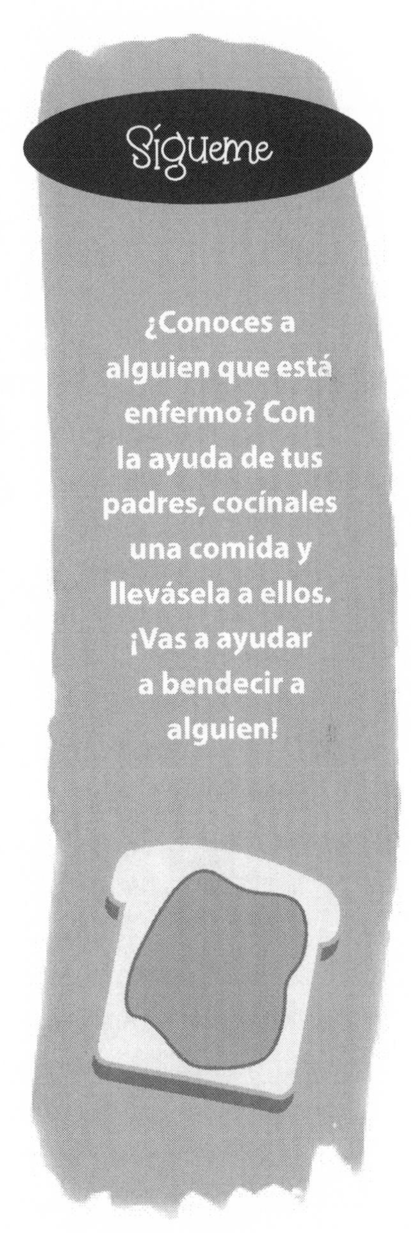

69

Jesús Lloró

Juan 11:17-27

"Jesús lloró." Juan 11:35

No puedo evitarlo.

Cada vez que veo a alguien que está llorando, suelo derramar algunas lágrimas yo misma. Me siento tan triste por ellos que las lágrimas fluyen fácilmente por mi cara.

¿Alguna vez te has sentido así cuando ves a un amigo que está triste? ¿Alguna vez lloras con ellos?

¿Alguna vez pensaste que Jesús, el salvador del mundo, se pusiera triste? No es algo que normalmente imaginas cuando piensas en Jesús. Pero Jesús lloró. Sintió compasión y tristeza por aquellos que estaban sufriendo.

En la historia de hoy, retomamos con Lázaro. Recuerda que Jesús acaba de enterarse que Lázaro está enfermo, pero en lugar de ir directamente con él para curarlo, espera dos días más. Así que cuando llega a Betania (el pueblo donde Lázaro vive con sus hermanas, Marta y María), ¡se entera de que Lázaro ha estado muerto por cuatro días! Marta y María están un poco molestas porque Jesús no vino de inmediato para sanar a su hermano. Creían que Lázaro nunca habría muerto si Jesús hubiera llegado antes.

María da a concer sus sentimientos y comienza a sollozar frente a Jesús. Ella está muy disgustada porque Lázaro ha muerto. Y entonces Jesús hace algo que normalmente no vemos. "Jesús lloró." (Juan 11:35 es el versículo más corto de la Biblia). Jesús tiene tanta compasión por María que comienza a llorar, así como María está llorando. Me gusta imaginar a Jesús dando a María un gran abrazo y ambos llorando juntos. La gente de la multitud también notó sus lágrimas, y comienza a hablar de lo mucho que Jesús amaba a Lázaro (él y Lázaro eran buenos amigos).

Esta historia nos muestra a todos lo mucho que Jesús nos ama y la profundidad de que siente, como todos los demás. Se preocupa por nosotros y llora con nosotros cuando estamos tristes. La próxima vez que estés disgustado y llorando, sólo recuerda cuánto Jesús te ama y te cuida. ¿Estás agradecido de que servimos a un Dios que se preocupa tanto por nosotros?

Dios amoroso, gracias por cuidarme. Ayúdame a recordar que estás conmigo todo el tiempo. En el nombre de Jesús, amén.

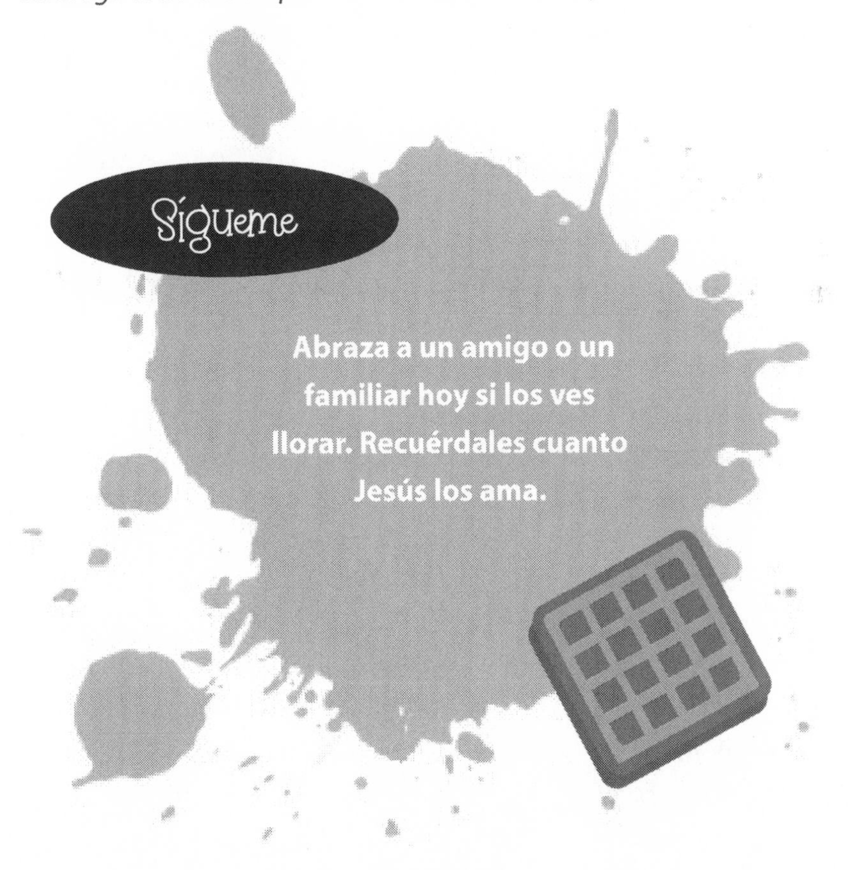

Otro milagro

Juan 11:38-44

"Dicho esto, gritó con todas sus fuerzas: '¡Lázaro, sal fuera!' El muerto salió, con vendas en las manos y en los pies, y el rostro cubierto con un sudario. 'Quítenle las vendas y dejen que se vaya' les dijo Jesús." Juan 11:43-44

Una cosa que cada uno de sus discípulos sabe en este punto de la vida de Jesús es que puede realizar milagros. Lo han visto hacerlo o han oído hablar de que lo hace. Lo han visto cambiar el agua en vino, sanar a los enfermos, dejar que lo ciegos vean y los sordos oigan, hizo que los paralíticos caminen de nuevo, y curó a la gente de lepra. Y ahora se estaban preparando para presenciar a un hombre resucitar.

Recuerda que Lázaro ha estado muerto durante cuatro días y su cuerpo ha sido puesto en una tumba. Jesús finalmente llega a la casa de Lázaro y todos están tan molestos porque sienten que si Jesús hubiera llegado allí días antes, Lázaro no habría muerto. Y recuerden que Jesús también está triste. Amaba a Lázaro como a un hermano.

Jesús entonces fue a la tumba y les dijo que movieran la piedra. Marta estaba un poco sorprendida de que Jesús hubiera dicho esto porque Lázaro llevaba cuatro días muerto y realmente apestaba en la tumba. Pero aún así Jesús les dijo que movieran la piedra y luego gritó "¡Lázaro, sal afuera!" (Juan 11:43).

¿Y adivina qué? ¡Lázaro salió de la tumba! ¡Fue un milagro! ¡Jesús había resucitado a una persona entre los muertos! Sólo puedo imaginar las miradas asombradas en los rostros de los amigos que se reunieron para llorar por la pérdida de Lázaro. ¡Ya no estaba más su amigo muerto, él estaba vivo!

Quizás te preguntes por qué Lázaro murió. ¿Cuál era el plan de Dios en todo esto? Lázaro no murió porque a Jesús no le importaba lo suficiente para llegar allí para ayudarlo. Lázaro murió para que la gloria de Dios fuera revelada y para que otros llegaran a creer en Jesús debido a lo que hizo. Si lees el versículo 45 en este capítulo, incluso nos dice que "muchos de los judíos que habían ido a ver a María y que habían presenciado lo hecho por Jesús, creyeron en él" (Juan 11:45). ¿No es genial? Otras personas llegaron a conocer a Jesús y creyeron en él porque vieron a Lázaro resucitado. Sabían que Jesús era el Hijo de Dios.

Tal vez hay cosas que suceden en tu vida que no salen exactamente como lo habías planeado. Esperabas que una cosa pasara y te entristeciste cuando no resultó como querías. Pero luego algo aún mejor sucedió y ahora sabes que Dios tenía un plan para todo. Recuerda que el plan de Dios siempre es mejor que cualquier cosa que podamos esperar o imaginar. Sólo tenemos que confiar en Dios y creer en él.

Dios amoroso, ayúdame a recordar siempre creer en tí incluso cuando las cosas no salen como planeo. Gracias por amarme tanto. En el nombre de Jesús, amén.

Sígueme

Planifica una salida divertida con tu familia, ve a tu restaurante favorito, un parque acuático, las películas, o incluso ayuda a planificar tus próximas vacaciones. Recuerda que si las cosas no salen exactamente como las planearon, los planes de Dios siempre son mejores que cualquier cosa que podamos planear nosotros mismos.

71

Jesús predice su muerte

Mateo 20:17-19

"Mientras subía Jesús rumbo a Jerusalén, tomó aparte a los doce discípulos y les dijo: 'Ahora vamos rumbo a Jerusalén, y el Hijo del hombre será entregado a los jefes de los sacerdotes y a los maestros de la ley. Ellos lo condenarán a muerte y lo entregarán a los gentiles para que se burlen de él, lo azoten y lo crucifiquen. Pero al tercer día resucitará.'"
Mateo 20:17-19

No hay nadie en todo el mundo que pueda predecir el día en que abandonarán esta tierra y se unirán a Jesús en el cielo.

Nadie, excepto Jesús.

Jesús nació en esta tierra por una razón, para salvarnos de nuestros pecados. Y sabía todo lo que le pasaría mientras estuvo en la tierra. Sabía quiénes serían los que lo crucificarían a él y los que creerían en él. Sabía el número de días que viviría. Sabía como iba a morir. Sabía cuanto sufriría antes de morir. Jesús sabía todo lo que le pasaría mientras estuvo vivo en la tierra.

Jesús sabía todo esto y se aseguró de decirles a sus doce discípulos todo esto también. Creo que quería prepararlos para lo que estaba por venir. Es como si quisiera prevenirlos de lo que iba a pasar para que no se sorprendieran.

Jesús les dijo esto a los discípulos en tres momentos diferentes que leemos en la Biblia (Mateo 16:21, Mateo 17:22-23, Mateo 20:17-19). Sabía que una vez no sería suficiente. Sabía que no le creerían si lo decía una vez, así que se aseguró de repetírselos una y otra vez.

Pero ¿sabes qué? Todavía no creyeron nada de lo que Jesús les dijo que le iba a pasar. Tal vez pensaron que sonaba tan escandaloso que seguramente nunca le pasaría esto a Jesús, al hijo de Dios, el que podía realizar cualquier milagro, el que amaba a todos. Seguramente este Jesús nunca moriría de la manera en que se los describió.

Pero sabemos lo que pasó. Y sabemos como termina la historia. ¡Jesús está vivo! Alabado sea Dios por enviar a su hijo para salvarnos de nuestros pecados.

Padre celestial, gracias por enviar a Jesús a morir por mi. Ayúdame a recordar que tu palabra es verdadera y a creerla siempre. Amén.

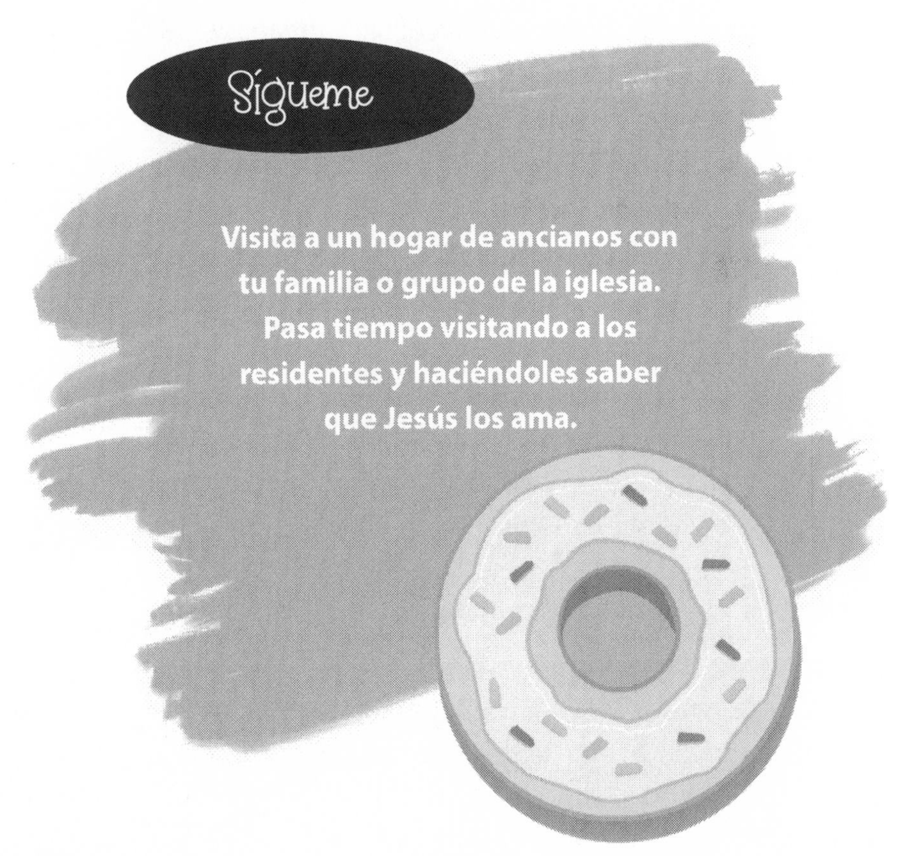

72

La petición de una madre

Mateo 20:20-28

"Pero entre ustedes no debe ser así. Al contrario, el que quiera hacerse grande entre ustedes deberá ser su servidor." Mateo 20:26

¿Sabes que tus padres harían cualquier cosa por tí? Te aman tanto y quieren darte lo mejor.

Creo que eso es lo que la madre de Santiago y Juan quería, también. Quería lo mejor para sus dos hijos. Santiago y Juan eran dos de los discípulos de Jesús. Jesús los invitó a que lo sigan y aprendieran de él. Dejaron sus vidas de pescadores para seguir a aquél que podía traerles vida eterna.

Sé que la madre de Santiago y Juan los amaba mucho y por eso le pidió un favor a Jesús. Ahora, permítanme decir que lo que ella pide es muy atrevido y algo que no estoy segura que yo pudiera pedir por mis propios hijos.

En el versículo 21 ella pide "Concede que en tu reino uno de estos dos hijos míos se siente a tu derecha y el otro a tu izquierda." ¿Puedes creer que ella pidió eso? Cuando los discípulos descubrieron lo que ella le pidió no estaban felices. ¿Por qué pediría la madre de Santiago y Juan algo así?

Pero a través de este pedido, Jesús explica una lección muy importante para todos nosotros. Él le explica que lo que ella estaba pidiendo no era una decisión que el podía tomar, es de Dios. Y luego continúa explicando que todos debemos ser siervos, como El vino a ser un siervo en esta tierra.

A veces no actuamos como buenos sirvientes, ¿verdad? A veces pensamos que somos mejores que los demás por como nos vestimos, la casa en la que vivimos, la iglesia a la que vamos, el coche que conducen nuestros padres, o por la cantidad de dinero que podemos haber ahorrado en nuestras alcancías. Jesús está diciendo aquí que no necesitamos actuar como si fuéramos mejores que los demás debido a estas cosas. Nos llama a vivir una vida como sirvientes de los demás. Poner a los demás en primer lugar y servirles es lo que Dios quiere.

Señor de Todo, perdóname cuando pienso en mismo más de lo que pienso en los demás. Ayúdame a ser mas amoroso y a servirte sirviendo a todas las personas. En el nombre Jesús, amén.

Sígueme

Practica poner a los demás antes que ti hoy. Abre la puerta para tus compañeros de clase. Deja que un amigo sea el líder de la línea. Ayuda a un amigo con sus tareas si no entiende. Estos tipos de actos te ayudarán a poner a otros primero.

Licuado de banana y fresa

9-10 fresas (congeladas funcionan mejor)
1 banano, rebanada
1 taza de yogur de vainilla
Leche

En una licuadora, corta las fresas. Añade las bananas y el yogur. Mezcla hasta que esté suave. Añade la leche si quieres. Añade un poco de hielo si no estás usando las fresas congeladas. Sirve inmediatamente.

Algo para pensar

¿Qué partes de tu vida parecen congeladas y separadas de Dios?

72

El ciego Bartimeo

Marcos 10:46-52

"'¿Qué quieres que haga por ti?' Le preguntó. 'Rabí, quiero ver.' Respondió el ciego." Marcos 10:51

Un ciego que se llamaba Bartimeo estaba sentado el lado de un camino todos los días pidiendo ayuda. Necesitaba comida, pero lo que realmente quería era poder ver. Si pudiera ver, su vida sería mucho mejor.

Un día, mientras estaba sentado en el camino oyó a la gente decir el nombre de Jesús. Había oído hablar de este Jesús porque otros habían hablado acerca de las curaciones y milagros que podía realizar. Decían que Jesús caminaba por el mismo camino donde él estaba sentado. Inmediatamente se emocionó y supo que tenía que ver a Jesús. Así que comenzó a gritar "¡Jesús, Hijo de David, ¡ten compasión de mí!" (Marcos 10:47). Pero la multitud a su alrededor le decía que se callara. ¿Por qué debería callarse cuando Jesús estaba tan cerca? ¡Esto le hizo gritar aún más fuerte! ¡Quería ver a Jesús!

Y entonces sucedió lo mejor, Jesús llamó a Bartimeo a que se acercara a él. Dio un saltó y encontró como llegar a Jesús. Cuando llegó a Jesús, Jesús le hizo una pregunta: "¿Qué quieres que haga por ti?" (Marcos 10:51). El ciego supo la respuesta a esa pregunta inmediatamente. Era algo que había deseado durante mucho tiempo. "Rabí, quiero ver." (Marcos 10:51). ¿Y sabes lo que pasó inmediatamente? ¡El ciego pudo ver! Lo único que había querido durante mucho tiempo era recuperar la vista. ¡Alabado sea Jesús que lo sanó!

La respuesta del ciego a la pregunta de Jesús se ha convertido en una oración mía. Oro que el Señor me ayude a ver. No soy ciega. Puedo ver perfectamente, pero mi oración es que Jesús me ayude a ver a Jesús en todo. Quiero ver a Jesús en la creación. Quiero verlo en otros. Quiero que otros lo vean en mí. Quiero que Jesús me ayude a verlo adonde quiera que vaya.

Si alguna vez has estado en un campamento cristiano, es posible que hayas oído a la gente hablar de las Visiones de Dios.[2] Estas son formas en las que has visto a Dios durante tu día. Compártelas con tu familia cada noche o escríbelas en tu diario. Cada mañana, mientras dices tus oraciones, pídele a Dios que te ayude a verlo ese día. Mantén los ojos y el corazón abiertos para que se haga visible para tí. ¡Te sorprenderás de cuantas veces se ve a Dios en un día!

Dios creador, ayúdame a abrir mis ojos y mi corazón para verte hoy. Muéstrame quien eres y permíteme experimentarte de maneras increíbles. Amén.

2 Group Publishing Easy VBS, www.groupvbs.com

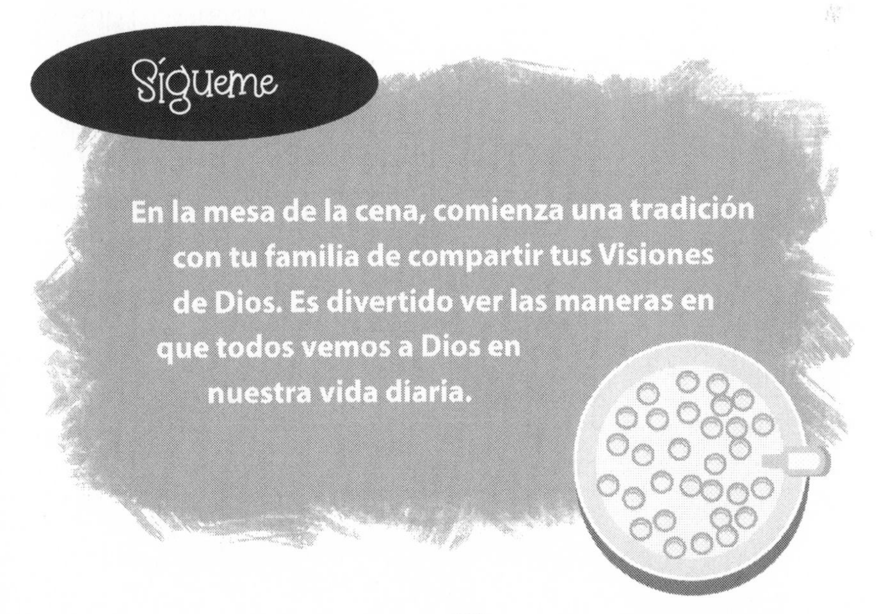

Zacchaeus

Lucas 19:1-10

"Llegando al lugar, Jesús miró hacia arriba y le dijo: 'Zacchaeus, baja enseguida. Tengo que quedarme hoy en tu casa.'" Lucas 19:5

"¡No puedo ver, papá!"

Esas fueron las palabras que gritó mi hija mayor mientras veíamos uno de los desfiles en el mundo Disney. Yo no entendía por qué gritaba, yo pensé que tenía un buen lugar para ver el desfile. Pero lo que realmente quería era ver más lejos. Quería ver todas las carrozas y personajes del desfile antes de que estuvieran frente a nosotros así podía avisarnos quien venía. Quería tener la mejor vista posible.

Y eso es exactamente lo que nuestro amigo, Zacchaeus, quería. Había oído que Jesús venía a la ciudad. Pero había tanta gente que las calles estaban tan amontonadas que él no podía ver nada. No lo ayudaba el hecho de que fuera más bajo que los demás, así que poder ver a Jesús iba a ser muy difícil. Así que hizo lo único que podía para ver a Jesús: se subió a un árbol sicomoro. Desde la parte superior de ese árbol podía ver a Jesús.

Cuando Jesús comenzó a caminar hacia Zacchaeus, se detuvo y levantó la vista y comenzó a hablar con él. Jesús le dijo que bajara porque quería comer en su casa hoy. ¡Estoy seguro de que Zacchaeus estaba encantado! Sólo quería ver a Jesús. ¡No esperaba que Jesús hablara con él, y mucho menos que comiera en su casa! Debido a la visita de Jesús, Zacchaeus se arrepintió de sus pecados (era un recaudador de impuestos y le robaba a la gente) y comenzó a creer en Jesús.

Lo que quiero que recuerdes de esta historia es que no importa qué tipo de pecados hayas cometido; Jesús todavía te ama y quiere que creas en Él. Zacchaeus había hecho cosas terribles robando dinero a la gente. ¡Básicamente, cobraba a la gente extra en impuestos y se quedaba con la parte extra para el mismo! No muy bueno lo de Zacchaeus. Pero eso no le importaba a Jesús. Lo perdonó y Zacchaeus comenzó a creer en Jesús como su salvador. Y debido a lo que Jesús hizo por él, Zacchaeus dijo que le iba a devolver a la gente lo que les había robado ¡y les daría cuatro veces más dinero que él les quitó! ¡Qué increíble!

Dios glorioso, gracias por perdonar a Zacchaeus de sus pecados. Por favor, perdóname de lo que he hecho mal también. Ayúdame a vivir mi vida por ti. En el nombre de Jesús, amén.

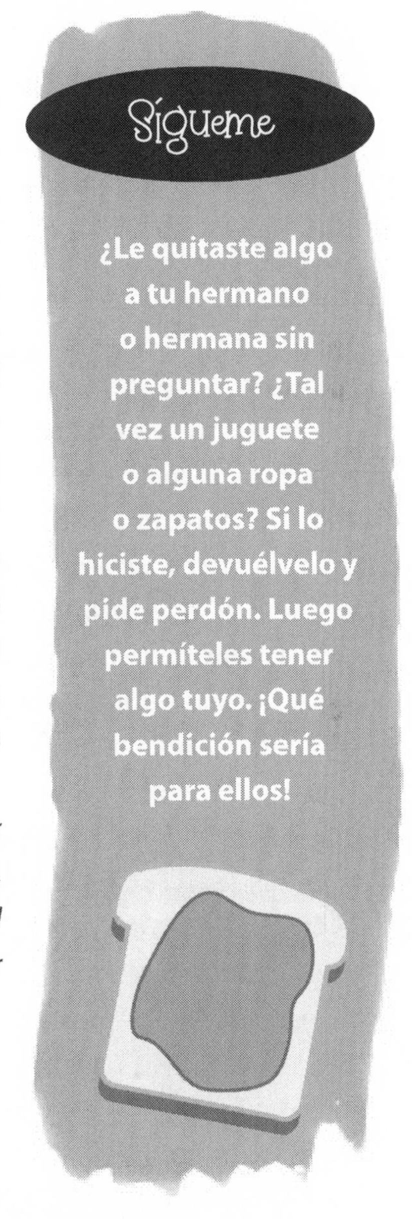

75

La entrada triunfal

Mateo 21:1-11

"Tanto la gente que iba delante de él como la que iba detrás gritaba: '¡Hosanna al Hijo de David! ¡Bendito el que viene en el nombre del Señor! ¡Hosanna en las alturas!'"
Mateo 21:9

Has visto a una persona famosa antes, ¿qué hiciste? Probablemente tenías tu cámara lista y empezaste a tomar fotos a esta persona famosa. Estoy bastante segura de que gritaste y aplaudiste en voz alta por ellos. Es posible que incluso hayas extendido tu mano para ver si te tocaban a medida que pasaban. Probablemente estabas muy emocionado de ver a esta persona famosa.

Jesús era bastante famoso en su época. Muchas personas sabían quien era y qué podía hacer. Cada vez que llegaba a una ciudad, lo encontraban y lo seguían. ¡Estoy segura de que la multitud de personas todavía gritaba su nombre, pero no había fotos con Jesús porque no había algo como una cámara!

Mientras Jesús estaba entrando en la ciudad de Jerusalén, la gente se paró al borde del camino de la ciudad e hizo algo que probablemente nunca haríamos hoy en día. Pusieron sus capas (abrigos) en el suelo y recogieron ramas de palma y comenzaron a gritar "¡Hosanna al Hijo de David! ¡Bendito el que viene en el nombre del Señor! ¡Hosanna en las alturas!" (Mateo 21:9).

Parece extraño, ¿verdad? ¡Pero no lo fue! Jesús era el rey de los judíos, así que lo elogiaron. El acto de poner sus capas en el suelo simbolizaba un honor reservado para un rey. Y las ramas de palma que fueron agitadas simbolizaban la victoria y se utilizaban para honrar a la realeza. Ya que Jesús era rey el de los judíos, era de la realeza y merecía todo su honor y alabanza. Este acto de poner capas en el camino y agitar ramas de palmas fue una manera de honrar a Jesús y alabarlo.

¿Qué haces hoy para honrar a Jesús y alabarlo? Piensa en algunas cosas que podrías hacer para alabar a Jesús. Escribe esas cosas y recuerda de hacerlas. Jesús merece toda nuestra alabanza, gloria y honor.

Dios todopoderoso, te alabo hoy. Doy honor y gloria en tu nombre. Ayúdame a alabarte siempre. Amén.

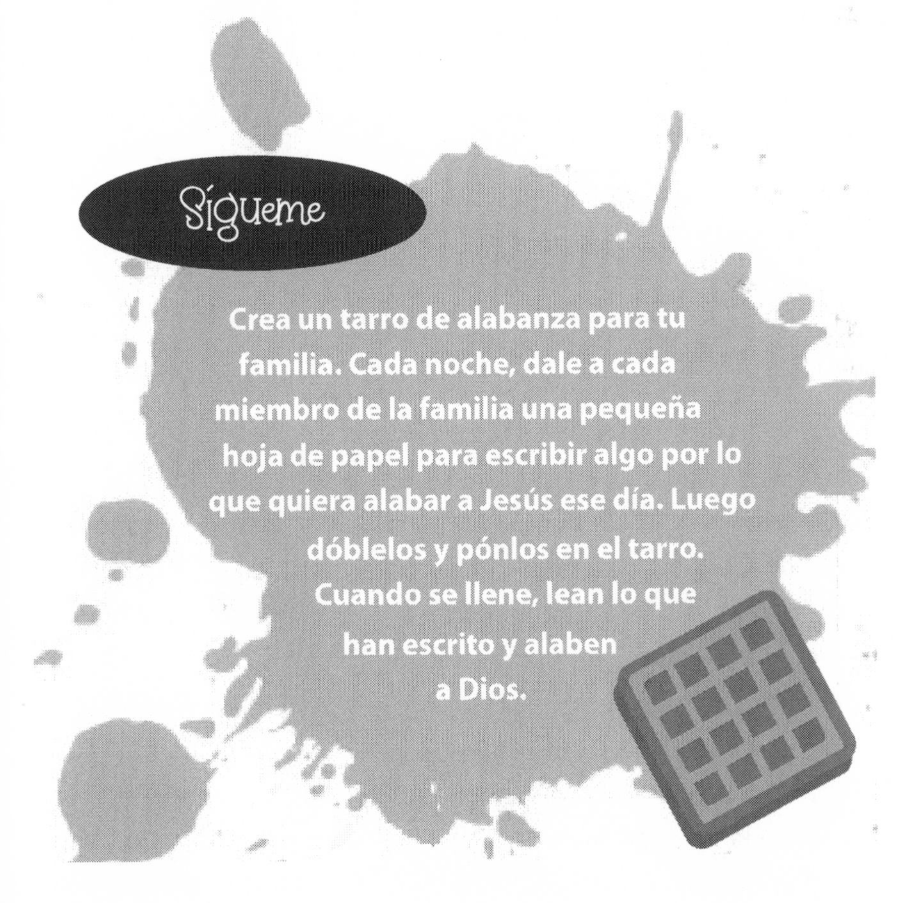

76

La ofrenda de la viuda

Lucas 21:1-4

"Todos ellos dieron sus ofrendas de lo que les sobraba; pero ella, de su pobreza, echó todo lo que tenía para su sustento." Lucas 21:4

Cuando era niña, mis padres se divorciaron. En ese momento mi madre no estaba trabajando, así que para que pudiera enseñar de nuevo (había sido una vez maestra antes de tener hijos), tuvo que volver a la escuela para tomar unas cuantas clases más. Durante dos años mi madre trabajó en un preescolar y tomó clases por la noche. Digamos que no teníamos mucho dinero. Yo no podía comprar todo lo que quería y no podía hacer todo lo que quería hacer. Había poco dinero en casa.

Pero una cosa que recuerdo es que mi mamá continuó dando su ofrenda a la iglesia. Ella nos enseñó que siempre le das a Dios, incluso cuando sientes que no tienes suficiente dinero para pagar todas tus cuentas. Damos a Dios porque es una manera de darle honor. Y cuando honramos y le damos, Dios nos devuelve y nos bendice. Puede que no haya comprado todo lo que quería, pero sé que Dios me proporcionó todo lo que necesitaba. Tenía comida, agua limpia para beber, un lugar para dormir, y ropa para ponerme. Tenía todo eso porque Dios me lo proporcionó.

Había una viuda (alguien a quien se le ha muerto el marido) que no tenía mucho dinero. Vino al templo para dar su dinero a Dios como ofrenda. Al mismo tiempo, había muchos otros que vinieron al templo para dar una ofrenda también. Pero estas personas eran ricas. Daban dinero porque tenían dinero para dar. No eran pobres como la viuda. No se preocupaban por lo que comerían si entregaban su dinero al templo. Esta viuda dió las únicas dos monedas de cobre que tenía. No valían mucho, pero ella las dió porque quería honrar a Dios con sus regalos.

Jesús vió esto, y les dijo a sus discípulos que la viuda dió más que lo que dió la rica porque ella dió todo lo que tenía. Sabemos que ella confiaba plenamente en Dios porque le dió todo lo que tenía. Y debido a esto, ella sabía que Dios le proveería a ella lo que necesitara. La Biblia no dice que hizo Dios en este caso, pero sé sin duda que Dios le dió todo lo que necesitaba, tal como lo hizo para mí y mi familia.

Cuando honres a Dios con tus regalos, él te bendecirá y proveerá para tí. Creo esto porque he visto sus bendiciones en mi vida, hoy en día y cuando era niña también. ¡Dios es muy bueno!

Dios generoso, ayúdame a honrarte siempre con mis ofrendas. Ayúdame a darte en todo momento, al igual que la viuda. Amén.

Sígueme

Una de las cosas que me encantaba hacer cuando era niña era poner dinero en el plato de ofrenda en la iglesia. La próxima vez que vayas a la iglesia, pídeles dinero a tus padres (o usa algo de tu propia asignación) y pónlo en el plato de ofrenda. Esta es una forma de dar a Dios.

Jesús en el templo

Mateo 21:12-17

"'Escrito está' les dijo, 'Mi casa será llamada casa de oración, pero ustedes la están convirtiendo en "cueva de ladrones."' Mateo 21:13

Piensa en un momento en que tus padres se han enojado contigo. Podrías haber roto algo, haberles mentido a ellos, no limpiado tu cuarto, o has hecho algo que sabes que no deberías haber hecho. Esto hizo que se enojaran contigo. Estoy segura de que hubo algunos gritos y probablemente te hayan castigado por algo, como no ver la televisión o no jugar videojuegos. No es divertido cuando te metes en problemas, ¿verdad?

Cuando piensas en Jesús, apuesto a que nunca piensas en que se enoja, ¿verdad? Pero ¿sabes qué? Hubo un momento en la Biblia donde se enojó mucho.

Jesús fue al templo en Jerusalén un día. Fue allí a orar, pero lo que encontró lo enojó. Vio a personas que habían puesto mesas para vender dentro del templo. Estas personas vendían palomas y animales que eran necesarias para el sacrificio de la Pascua.

También había hombres llamados cambistas que intercambiaban dinero en el templo. Para comprar los sacrificios necesarios, tenías que pagar con monedas hebreas. Si no tenías monedas hebreas tenías que visitar la mesa del cambiador de dinero e intercambiar lo que tenías por una moneda hebrea. Lo que estaba mal era que se cobraba una tarifa adicional (algo que era en contra de la ley). [3]

---

3 https://www.patheos.com/blogs/davearmstrong/2019/09/why-did-jesus-cleanse-the-temple-moneychangers.html

¿Te parece que el templo es un buen lugar para hacer estas cosas? ¡Claro que no! Y Jesús no iba a dejar que algo así pasara en el templo.

Jesús estaba muy enojado y comenzó a gritar. Le dijo a la gente que se fuera. Y luego dio vuelta mesas patas para arriba y todo empezó a volar por todas partes. Debe haber sido una escena incómoda, sin duda. ¡Los animales corrían por todas partes!

Pero Jesús hizo esto para recordarle a la gente que el templo no era un lugar destinado a vender cosas. No es un lugar para ganar dinero o aprovecharse de la gente cobrando más de lo normal por cosas. Es un lugar donde la gente puede ir a confesar sus pecados y hablar con Dios. Jesús quería asegurarse de que la gente estuviera usando los templos como debían ser utilizados: una casa de oración y no como una guarida de ladrones.

Dios querido, gracias por recordarme lo que es la iglesia. Ayúdame a usar tu iglesia como una casa de oración en todo momento. En el nombre de Jesús, amén.

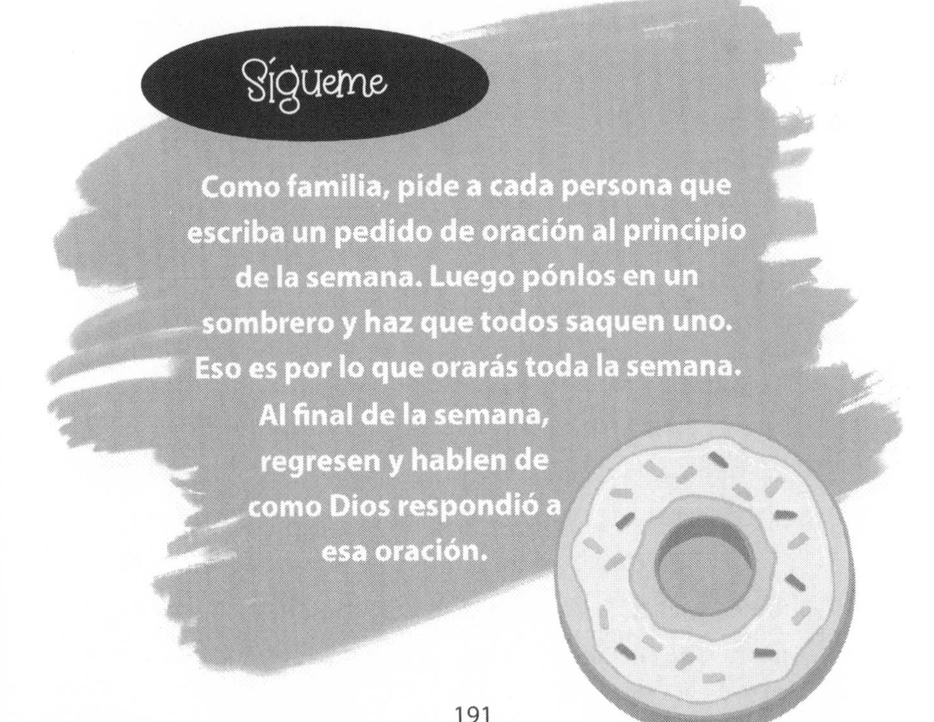

78

Dar a Dios

Marcos 12:17

"'Denle, pues, al César lo que es del César, y a Dios lo que es de Dios. Y se quedaron admirados de él.'" Marcos 12:17

Tienes una alcancía llena de dinero que has estado ahorrando para algo especial. Has querido algo durante mucho tiempo, pero luego tu mamá menciona algo acerca de cómo necesitas darle algo de ese dinero a Dios. ¿Por qué tienes que darle dinero a Dios? ¿Realmente necesita tu dinero?

La respuesta es sí, lo necesita.

En el capítulo 12 de Marcos, vemos a un grupo de fariseos (maestros religiosos) preguntandole a Jesús si deben pagar impuestos al gobierno. Jesús explica que si, que deben pagar impuestos al gobierno. Pero, también necesitas dar a Dios lo que es de Dios.

Entonces, ¿qué es de Dios?

Dios nos pide que le demos un diezmo de nuestro dinero. Puedes encontrar eso en Levítico 27:30. Un diezmo es el 10% del dinero que tenemos. Así que si tienes $100 ahorrados, le deberías dar $10 a Dios.

Dios no pide mucho, pero a veces nos cuesta dejar ir ese 10%. Queremos aferrarnos a ese dinero y comprar lo que queremos sin darle a Dios nada. Mi reto para ti es que practiques ahorrar el dinero que ganas de las tareas o asignaciones. Y luego cada semana o cada mes (tan a menudo que quieras dar tu ofrenda a Dios) toma el 10% de tus ahorros y dáselo. Podría ser como una ofrenda en tu iglesia, para ayudar a una organización de caridad, para dar comida a los pobres, o incluso a una familia o amigo que necesita ayuda financiera.

¿Aceptarás el reto?

Dios fiel, gracias por todo lo que me has dado. Ayúdame a recordar darle un diezmo a ti. Recuérdame ser fiel a ti en mi donación, ya que siempre eres fiel en lo que me das. En el nombre de Jesús, amén.

Sígueme

Busca dos tarros para ahorrar dinero. Escribe "ahorros" en uno y "Darle a Dios" en el otro. A medida que obtengas dinero, pon un décimo en el tarro de Dios y el resto en tus ahorros. Entonces, al final del mes, da todo el dinero de tu tarro "Darle a Dios" a Dios.

Burrito para el desayuno

Su elección de la carne
2 huevos revueltos
Tortillas blandas
Queso rallado
Salsa

Cocina bien la carne. Revuelve los huevos. En una tortilla blanda, pon una capa de carne, los huevos, el queso, y la salsa. ¡Envuelve la tortilla y come!

Algo para pensar

¿Qué tipo de burrito para el desayuno le servirías a Jesús?

79

¿Quién te dio esa autoridad?

Mateo 21:23-27

""Jesús entró en el templo y, mientras enseñaba, se le acercaron los jefes de los sacerdotes y los ancianos del pueblo. '¿Con qué autoridad haces esto?' lo interrogaron, ¿Quién te dio esa autoridad?'" Mateo 21:23

"¿Quién dijo que podías recuperar tu celular?"

Esa es la pregunta que le hice a mi hija cuando llegué a casa y la encontré con su celular a pesar de que sabía que la había castigado. ¡Quería saber quién le dio permiso para recuperarlo porque sabía que no era yo!

Puede haber ocasiones en tu vida en las que te hayan hecho la misma pregunta: ¿Quién te dio permiso para hacer eso? Básicamente, te están preguntando quién te dio la autoridad para hacer eso. Y esa es la pregunta que le hicieron a Jesús los principales sacerdotes cuando comenzó a enseñar en el templo.

Encontramos a Jesús habiendo entrado a Jerusalén en un burro, yendo al templo para sacar a la gente que estaba vendiendo cosas, y luego comenzando su enseñanza en el templo. Los principales sacerdotes y ancianos de la gente se sorprendieron y se asombraron de que estaba haciendo estas cosas y querían saber, "¿Quién te dio esa autoridad?" (Mateo 21:23). No pensaban que debía estar haciendo o diciendo algunas de las cosas que estaba enseñando. ¿Quién se creía que era?

Lo que amo de Jesús es que no les da una respuesta directa cuando preguntan. Vuelve con una pregunta. Les dijo que si ellos respondían su pregunta correctamente, entonces les diría con qué autoridad está enseñando. Y la pregunta confundió a todos los principales sacerdotes y los ancianos y tuvieron miedo de dar la respuesta equivocada. Entonces respondieron con un "no sé." ¿Y adivina qué? Jesús dijo que no les iba a decir quién le daba la autoridad.

Estoy seguro de que los principales sacerdotes y ancianos se alejaron y se enojaron con Jesús. No les gustaba su enseñanza y no les gustaba cómo nunca respondía a sus preguntas. Incluso si Jesús volviera con la respuesta a su pregunta, ¿Crees que le habrían creído?

Jesús recibe su autoridad de Dios. Pero por alguna razón, estos sacerdotes no podían comprender que Jesús era el Hijo de Dios y que vino al mundo para salvar a todas las personas. Sentían que no decía la verdad. Pero sabemos que Jesús estaba diciendo la verdad y que Jesús es la verdad. Nunca dudes de Jesús y de Su amor por ti.

Dios de la verdad, ayúdame a nunca dudar de tí. Ayúdame a creer siempre en tí incluso cuando los demás no lo hagan. Gracias por todo lo que me enseñas en tu palabra. Amén.

80

Él viene de nuevo

Mateo 24:36,42,44

"Por lo tanto, manténganse despiertos, porque no saben qué día vendrá su Señor." Mateo 24:42

¡Listo o no, aquí vengo!

Esas palabras siempre me traían mariposas en la panza cuando jugaba a las escondidas con mis amigos cuando era niña. ¡Al que le tocaba "buscar" tenía que contar y no importaba si yo estaba escondida o no, venía a buscarme! A veces estaba lista y bien escondida, y otras veces no lo estaba. ¡La anticipación de que me encontraran me ponía tan nerviosa! Si veía al buscador y me veía, entonces gritaba e intentaba correr a la base, con le esperanza de que llegara allí antes de ser atrapada. A veces lo hacía, a veces no.

Lo único que es importante para cualquiera que juegue a las escondidas es que el jugador esté listo. Si no estás oculto, lo más probable es que no ganes el juego. Debes estar listo.

Esto es lo que debemos recordar cuando escuchamos acerca de la promesa de que Dios va a volver. Jesús dice en estos versículos del capítulo 24 de Mateo que debemos estar listos. No hay que malgastar el tiempo. No necesitamos estar de pie tratando de averiguar qué hacer. No podemos decidir aceptar a Jesús como nuestro Salvador y luego no seguir su camino. Debemos estar listos.

Tampoco tenemos idea de cuando ocurrirá la venida del Señor. Jesús nos dice que será en un momento que no esperamos. No hay manera de que podamos predecir cuándo sucederá esto. Jesús dice que los ángeles ni siguiera lo saben. ¡Ni siquiera Jesús lo sabe! Sólo el Padre sabe cuándo volverá.

Quiero estar lista para ese día. Y quiero que estés listo, también. Podemos hacer esto siguiendo a Jesús todos los días de nuestra vida, haciendo lo que sabemos es correcto y lo que sabemos que Jesús querría que hiciéramos, pasando tiempo con él todos los días, orando, alabando, adorando en la iglesia y aprendiendo más de él mientras leemos nuestra Biblia. Vamos a estar listos porque sabemos que un día Jesús vendrá de nuevo.

Dios todopoderoso, gracias por la promesa que das que vendrás de nuevo. Ayúdame a vivir mi vida todos los días por ti. En el nombre de Jesús, amén.

Sígueme

Jesús nos llama a adorarlo y a alabarlo. ¡Vamos a hacer hoy el día de alabanza y adoración! Cada vez que te subes en tu carro con tu familia, enciende la música de alabanza en tu radio. Cantemos fuerte en alabanza y en honor a Jesús.

La unción de Jesús

Mateo 26:6-13

"Les aseguro que en cualquier parte del mundo donde se predique este evangelio, se contará también, en memoria de esta mujer, lo que ella hizo." Mateo 26:13

Imaginemos esto: tu madre acaba de comprar un perfume nuevo. Huele tan bien que decides que quieres usar algo de ella mientras juegas. Te rocías un poco, pero luego se te ocurre la idea de usarlo en tus muñecas. También tienen que oler bien. Pero en lugar de rociarlos con el perfume, decides verter el perfume sobre ellas.

Cuando tu madre encuentra que la mitad de la botella de perfume está vacía se enoja bastante. Ella te grita y dice que le costó mucho dinero y no puede creer que lo desperdiciaste tanto. No es un buen día para tí.

La manera en que tu madre se sintió es la manera exacta en que los discípulos se sintieron el día que estuvieron en la casa del leproso Simón. Jesús estaba con ellos y una mujer entró con un frasco de perfume muy caro. Estaban tan molestos cuando ella abrió la botella y comenzó a verter el perfume sobre la cabeza de Jesús. ¡Sabían lo mucho que el perfume costaba y no podían creer que lo estaba desperdiciando así! ¡Podría haber sido vendido y el dinero dado a los pobres!

Los discípulos no tenían idea de lo que la mujer estaba haciendo, pero Jesús si sabía. Esta mujer estaba preparando el cuerpo de Jesús para el entierro. Ella lo estaba ungiendo porque sabía Jesús que iba a morir pronto. Los discípulos no entendían eso y se enojaron con ella.

Pero Jesús la defendió y dijo que lo que ella estaba haciendo era apropiado. Este hecho sería la razón por la cual ella sería conocida. ¿Y adivina qué? Conocemos a esta mujer debido a lo que hizo por Jesús. Le echó perfume sobre la cabeza para prepararlo para su entierro. Fue un acto de amor, para mostrarle a Jesús que ella lo amaba.

Dios misericordioso, ayúdame a mostrar mi amor por tí siempre. En el nombre de Jesús, amén.

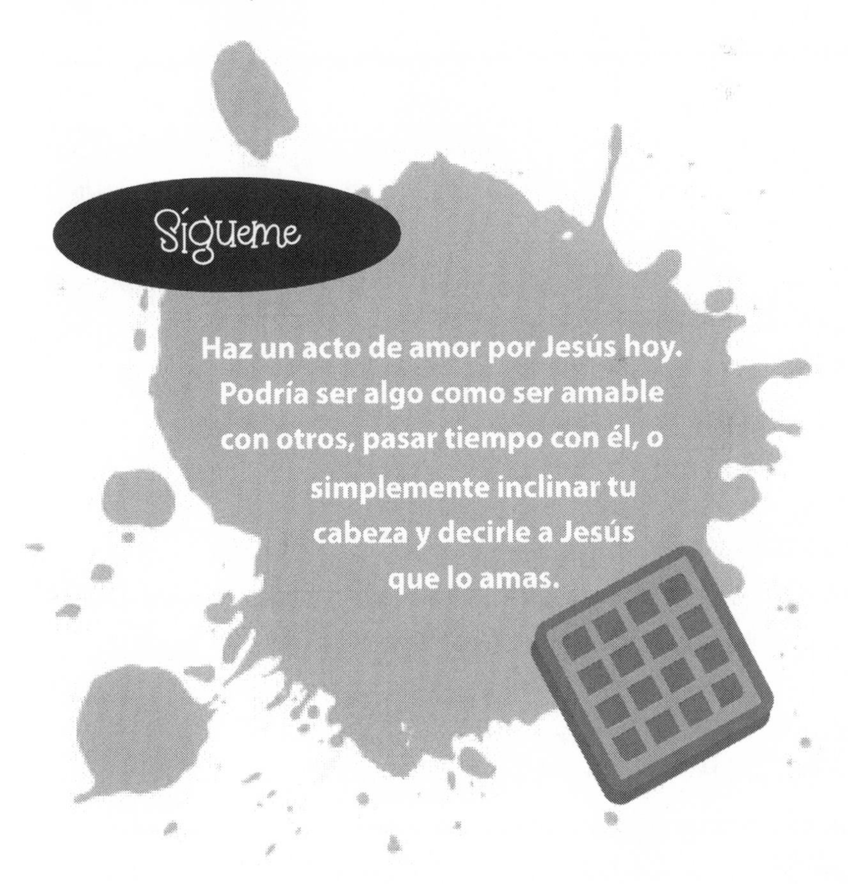

82

Judas acepta traicionar a Jesús

Lucas 22:1-6

"Y Judas fue a los jefes de los sacerdotes y a los capitanes del templo para tratar con ellos cómo les entregaría a Jesús." Lucas 22:4

¿Qué pasa cuando alguien a quien amas o conoces hace algo malo? Probablemente te pones triste, pero apuesto que la primera emoción que sientes es ira. Estás enojado con ellos por lo que hicieron o cómo te trataron a tí o a alguien que conoces. No puedes creer lo que hicieron.

Así es como me siento cuando leo la historia de cómo Judas tomó la decisión de traicionar a Jesús. Quiero saber cómo podría pensar en traicionar a Jesús, a quien ama y al que ha seguido durante los últimos tres años y que aprendió tanto de él. ¿Por qué haría algo así?

Hagamos un repaso lo que está pasando aquí: Jesús ha entrado en Jerusalén (recuerda, vino en un burro y la gente lo alabó). Jesús y sus discípulos vinieron a Jerusalén porque era la época de la Pascua (una fiesta judía que se celebraba para ayudarles a recordar cuando Dios los liberó de la esclavitud Egipto). Jesús le enseñó a la gente en el templo, y más recientemente, sacó del templo a los cambistas (las personas que cobraron grandes honorarios para cambiar el dinero de la gente por ellos en el templo).

La Biblia nos dice que Satanás entró en Judas Iscariote y tomó la decisión de ir a hablar con los principales sacerdotes. Estoy segura de que Satanás sabía que a los sacerdotes no les gustaba Jesús. Así que decidió que los ayudaría y buscaría una manera de traicionar a Jesús y de entregarlo a los principales sacerdotes para que sea arrestado. Lo que endulzó esta decisión par Judas es que accedieron a pagarle.

A Judas le encantaba el dinero y le encantaba tener mucho dinero. Obtendría treinta piezas de plata por traicionar a Jesús. Treinta piezas de plata valdrían $185-$216 en dólares estadounidenses hoy.[4] Judas no recibió mucho dinero por entregar a Jesús a los principales sacerdotes. Parece muy loco que Judas haya hecho algo como eso por dinero. ¿Valió la pena?

Una cosa que debemos aprender de esta historia es cómo debemos perdonar. Judas cometió un error, un gran error, y él lo sabía. Cometemos errores y le pedimos a Dios que nos perdone y nos ayude a vivir mejor. Te perdona y te ama. Todo lo que quiere es que estés cerca de él.

Padre celestial, perdóname cuando me equivoco. Ayúdame a tomar mejores decisiones y escucharte. En el nombre de Jesús, amén.

---

4 https://en.wikipedia.org/wiki/Thirty_pieces_of_silver

83

La última cena

Lucas 22:7-23

"Este pan es mi cuerpo, entregado para ustedes; hagan esto en memoria de mí." Lucas 22:19b

Pensemos en algunas cosas que nunca olvidarás de hacer: cómo comer, cómo beber, cómo cepillarte los dientes, (no dije que no te olvidarías de cepillarte los dientes, solo cómo cepillarte los dientes), cómo cepillarte el cabello, cómo ducharte, cómo pasear a tu perro, cómo sacar la basura, cómo lavar la ropa, y cómo montar en bicicleta. A menos que pierdas la memoria, creo que recordarás cómo hacer estas cosas.

Jesús quería mostrarles a sus discípulos (y a nosotros) cómo podríamos conmemorarlo. Quería que hubiera una manera en la que nunca nos olvidáramos de él, una manera en que cada vez que hiciéramos eso, pensaríamos en él. Esto que Jesús quería fue demostrado a los discípulos la noche en la que tuvieron la última comida con Jesús.

Se reunieron en una habitación superior de una casa. Se les sirvió una comida. Los doce discípulas y Jesús se acomodaron en la mesa y disfrutaron de una comida. En esta comida había pan y vino. A medida que Jesús le daba a cada uno de ellos un poco de pan y vino para beber, les decía "hagan esto en conmemoración mía." (Lucas 22:19b). Jesús quería que sus discípulos pensaran en él y lo recordaran cada vez que comían pan y bebían vino. Esas cosas simbolizaban su cuerpo y su sangre. Jesús dio su vida por nosotros y quiere que recordemos el sacrificio que hizo por nosotros y que recordemos cuánto nos ama.

Esta comida recordatoria se conoce como Comunión hoy en día. Cada iglesia la celebra de manera diferente, pero siempre hay dos cosas presentes en ella: pan y jugo (algunas iglesias usan vino). Algunas iglesias sumergen el pan en el jugo y algunas iglesias beben de pequeñas tazas de comunión. No importa cómo lo hagas, pero cuando lo haces Jesús nos pide que lo recordemos.

Cuando se celebre la comunión en tu iglesia, piensa en Jesús y en cómo te ama tanto que murió en la cruz por tí para que pudieras vivir para siempre en el cielo con él. Recuerda la historia de la última cena que compartió con sus discípulas. Recuerda a Jesús.

Dios amoroso, gracias por Jesús. Ayúdame a no olvidar nunca cómo recordar a Jesús. Amén.

84

El jardín de Getsemaní

Mateo 26:36-46

"Luego volvió adonde estaban sus discípulos y los encontró dormidos. '¿No pudieron mantenerse despiertos conmigo ni una hora?' Le dijo a Pedro." Mateo 26:40

¿Alguna vez has tenido tanto sueño que no podías mantener los ojos abiertos? Tal vez necesitabas permanecer despierto, pero por alguna razón tus ojos seguían cerrados y te dormías. Es difícil permanecer despierto cuando tienes mucho sueño.

Los discípulos estaban sintiendo el mismo tipo de somnolencia la noche en que fueron al Jardín de Getsemaní con Jesús. Era de noche. Acababan de comer por última vez con Jesús, así que sus panzas estaban llenas. Jesús quería ir al jardín a orar. Les pidió a los discípulos que hicieran una cosa: que se mantengan despiertos y oren.

Jesús se fue solo para orar (durante este tiempo de oración se entristeció tanto porque sabía que era hora de que renunciara a su vida). Los discípulos probablemente pensaron que podían permanecer despiertos, pero mientras estaban sentados allí sus ojos parecían cerrarse tan fácilmente. Estaba oscuro y tenían vientres completamente llenos. Fue fácil para ellos dormirse.

Cuando Jesús regresó, los encontró dormidos. Estaba un poco molesto porque todo lo que quería que hicieran era que oraran mientras él también oraba. Dos veces más los dejó y volvió a encontrarlos durmiendo. ¿Por qué no podían permanecer despiertos?

¿Cuántos de ustedes pueden decir honestamente que se han quedado dormidos mientras estaban orando? ¡Voy a levantar la mano y confesar que yo he hecho eso! Cuando estás acostado en la cama y estás cómodo, y estás orando, a veces te duermes en medio de tu oración. ¡De golpe te despiertas y te das cuenta de que nunca terminaste de orar! Es tan difícil permanecer despierto a veces cuando estás orando. Especialmente cuando es de noche. Tus ojos están cerrados, estás orando en tu mente y no puedes evitar dormirte, se entiende cómo se sintieron los discípulos esa noche.

Sígueme

Practica tus hábitos de oración. Si rezas a la hora de acostarte, siéntate y mantén los ojos abiertos. Reza en voz alta no sólo te ayuda a permanecer despierto, sino que mantiene tu enfoque en Jesús.

¡Mi desafío para ti es que te mantengas despierto cuando rezas! Mantén tu enfoque en Dios y rézale a él. Recuerda que Jesús quiere que permanezcas despierto y ores. Quiere hablar contigo. Quiere que hables con él. ¡Y debemos permanecer despierto para hacer eso!

Padre Dios, le pediste a tus discípulas que se mantuvieran despiertos y oraran. Ayúdame a hacer eso y mantener mi enfoque en ti. En el nombre de Jesús, amén.

Wafles caseros

1 ¾ tazas de harina con levadura
½ taza de aceite
1 ¼ tazas de leche
2 huevos

Precalienta la plancha de wafles. Combina la harina, el aceite, y la leche en un tazón. Separa las yemas de huevo de las claras de huevo y pónlas en tazones diferentes. Bate las claras de huevo hasta que estén esponjosas. Añade las yemas a la mezcla de harina y remuévela. Después de que las claras de huevo estén esponjosas, revuelve en la mezcla. Viértela en la plancha de wafles y hornéalos.

Algo para pensar

¿Qué podrías añadir a tu rutina diaria que te acercaría a Jesús?

85

Un camino

Juan 14:1-7

"'Yo soy el camino, la verdad y la vida,' le contestó Jesús. 'Nadie llega al Padre sino por mi.'" Juan 14:6

Cuando tengas la edad suficiente para manejar, vas a descubrir una cosa: hay muchas maneras diferentes de llegar a un lugar. Hay muchos caminos. ¿Cuál es la forma más rápida de llegar adonde vas y cuál es la más larga? ¿Cuál es la más directa y cuál es más complicada? ¿Cuál es el mejor camino?

En nuestro versículo de hoy aprendemos algo que todos necesitamos saber: sólo hay una manera de llegar al cielo para estar con Dios. En esta historia vemos a Jesús hablando con sus discípulos. Está hablando de algo que tiene confundido a los discípulos. Jesús les sigue diciendo que él va a ir a la casa de su padre (que tiene muchas habitaciones), y que volverá por ellos y los llevará a estar con él. Esto no tiene sentido para los discípulos y uno de ellos (Tomás) habla y básicamente le dice a Jesús que no entiende de lo que está hablando.

Entonces Jesús dice las palabras que todos necesitamos escuchar: "Yo soy el camino, la verdad y la vida,' le contestó Jesús. 'Nadie llega al Padre sino por mi." (Juan 14:6).

Me pregunto si a los discípulos se les prendió una lamparita cuando Jesús dijo eso. Tal vez no en ese momento exacto a ellos, pero puede que si a nosotros. Jesús nos dice que la única manera en que podemos llegar al Padre as a través de él. Jesús es el camino, el único camino.

En nuestro mundo de hoy hay quienes te dirán que si haces las cosas bien y vives bien, llegarás al cielo. Pero nosotros, como cristianos, sabemos que esa no es la manera de llegar al cielo. Jesús nos dice clara y sencillamente que debemos creer en él porque esa es la única manera de vivir con el Padre Dios en los cielos. Necesitamos creer en el hijo de Dios, Jesús, como nuestro salvador para que vivamos para siempre con Dios. Necesitamos creer que nos perdona nuestros pecados y que vino a esta tierra para salvarnos.

Recuerda que hay un camino al cielo, y que es a través de Jesucristo.

Padre celestial, quiero vivir para siempre contigo. Creo en tu Hijo, Jesús, y en lo que hizo por mí. Ayúdame a compartir con los demás que Jesús es el único camino a ti. Amén.

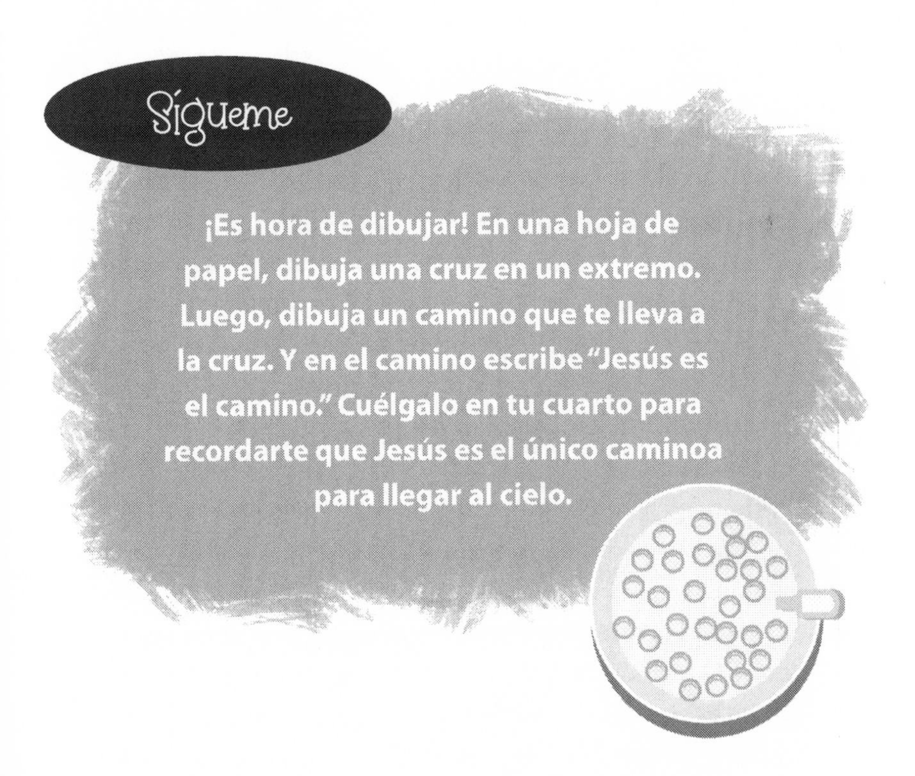

El espíritu santo

Juan 14:15-21

"Pero el Consolador, el Espíritu Santo, a quien el Padre enviará en mi nombre, les enseñará todas las cosas y les hará recordar todo lo que les he dicho." Juan 14:26

¿Alguna vez has oído hablar de algo llamado la trinidad? Esa es una manera en que nos referimos a Dios. Aquí hay algo realmente difícil de entender: Dios es tres personas en una. Conocemos a Dios como el Padre, el Hijo y el Espíritu Santo. Dios es nuestro Padre, el Hijo es Jesucristo, y luego está el Espíritu Santo. Puede que hayas oído hablar de la trinidad, pero simplemente no lo entiendes.

Miremos los versículos bíblicos de hoy, porque podrían ayudarte a entender el Espíritu Santo. Jesús está hablando con los discípulos de lo que vendrá después de que se vaya de esta tierra. Puedo imaginar lo que los discípulos estaban pensando. Estaban confundidos, asustados, sorprendidos, inseguros de lo que iba a pasar. Tal vez estaban pensando en cómo iban a recordar todo lo que Jesús les había enseñado en los últimos tres años. Jesús sabía todo lo que los discípulos estaban pensando también. Sabía que estarían preocupados. Y fue ahí cuando Jesús dijo que Dios promete enviar al Espíritu Santo. El Espíritu Eanto va a estar allí para enseñarles y guiarlos y para ayudarles a recordar todo lo que Jesús les enseñó. No había necesidad de temer y no había necesidad de preocuparse.

Así como Jesús prometió el Espíritu Santo para los discípulos, también lo promete para nosotros. Cuando creemos en Jesús, estamos marcados con el sello del Espíritu Santo. El Espíritu Santo nos guiará en lo que debemos hacer. El Espíritu Santo nos condenará por lo que sabemos que no debemos hacer. El Espíritu Santo está vivo y presente en todos los que creen en él.

Les digo a mis alumnos en la iglesia que el Espíritu Santo es como el viento. No puedes verlo, pero puedes sentirlo y puedes oírlo. Sabes cuando el viento se mueve porque puedes ver que los árboles se balancean y puedes sentir la brisa en tu cuerpo. Puedes oírlo por cómo afecta a los árboles que te rodean. Incluso si es la más suave de todas las brisas, puedes escuchar el susurro débil de ella. Y así es el Espíritu Santo para nosotros. Podemos sentirlo, oírlo, y verlo moverse. Sólo tenemos que estar abiertos a el y escucharlo.

Sígueme

Escucha la canción "Santo Espíritu" de Jesus Culture. Esta es mi canción favorita sobre el Espíritu Santo. Toma este tiempo para rezar con Dios.

Entonces, ¿cómo sabes cuando el Espíritu te está hablando o cómo puedes sentir la presencia del Espíritu Santo? Me gusta explicar esto de varias maneras. Una manera en que puedo explicarlo es que tengo escalofríos en todo mi cuerpo, incluso cuando no hace frio afuera. Es como si una brisa hubiera soplado sobre mi cuerpo y puedo sentirlo. Cuando estoy sentada tranquilamente pasando tiempo con Dios y realmente estoy tranquila, tengo esos escalofríos y sé que está presente y puedo oírlo hablar. También puedo sentir al Espíritu cuando sé que se supone que debo hacer algo. Es una sensación abrumadora donde sé que debo actuar sobre algo. Es difícil de explicar, excepto decirte que sabrás cuando el Espíritu Santo te está hablando.

Estoy tan agradecida de que Jesús prometió el Espíritu Santo a sus discípulos y que nos promete el Espíritu Santo hoy también. ¿Puedes sentir al Espíritu? ¿Puedes oír al Espíritu? Creo que puedes si tomas el tiempo para estar tranquilo y escuchar.

Dios misericordioso, gracias por la promesa de enviar al Espíritu Santo para estar con nosotros en la tierra después de que Jesús se fue. Ayúdame a estar tranquilo y escuchar al Espíritu. Amén.

La paz les dejo

Juan 14:27

"La paz les dejo; mi paz les doy. Yo no se la doy a ustedes como la da el mundo. No dejes que tus corazones se angustien y no tengas miedo." Juan 14:27

¿Alguna vez te pones nervioso cuando tienes que hacer un examen en la escuela? ¿O te pones nervioso antes de jugar en tu partido de fútbol? A esos nervios me gusta llamarlos "mariposas en la panza." Revolotean y me impiden sentirme en paz. No me gustan. Me gusta sentirme tranquila todo el tiempo.

En nuestra devoción de ayer, oímos a Jesús prometiendo a los discípulos que enviaría al Espíritu Santo a la tierra una vez que se fuera. Puedo creer que los discípulos también tenían algunas mariposas en la panza. No les gustaba oír a Jesús hablar del momento en el que ya no estaría con ellos. Los ponía muy nerviosos.

Tal vez por eso Jesús dijo lo que dijo después prometerles que iba a enviar al Espíritu Santo. Sabía exactamente lo que necesitaban oír. "La paz les dejo; mi paz les doy. Yo no se la doy a ustedes como la da el mundo. No se angustien ni se acobarden." (Juan 14:27).

Jesús les está diciendo (y diciéndonos) que no necesitamos tener miedo de nada. ¿Por qué? Porque él es aquél que nos traerá paz. Nos la da libremente y nos la ofrece como regalo. Pero esa paz no es el mismo tipo de paz que el mundo nos ofrece. El mundo diría que tendremos paz si tenemos mucho dinero, ropa bonita, casas grandes y coches caros. El mundo dice que necesitamos cosas para hacernos felices. Jesús dice que no las necesitamos. Sólo necesitamos una cosa, y esa es Jesús.

Esto es lo que puedes hacer cuando empiezas a sentirte nervioso o asustado. Cierra los ojos. Piense en Jesús. Y luego piensa en un lugar al que te gusta ir que te traiga paz. Tal vez es la playa, el río, tu casa, o afuera en tu patio. Entonces imagina a Jesús allí contigo. Está caminando a tu lado o sentado a tu lado. Él está allí contigo y su presencia te trae paz abrumadora. Creo que cuando puedes imaginar a Jesús a tu lado, tendrás una paz que sólo Jesús puede dar.

Dios de paz, gracias por el recordatorio de que eres el que me trae paz. Recuérdame de tu presencia cuando estoy nervioso o asustado. Gracias por estar conmigo. Amén.

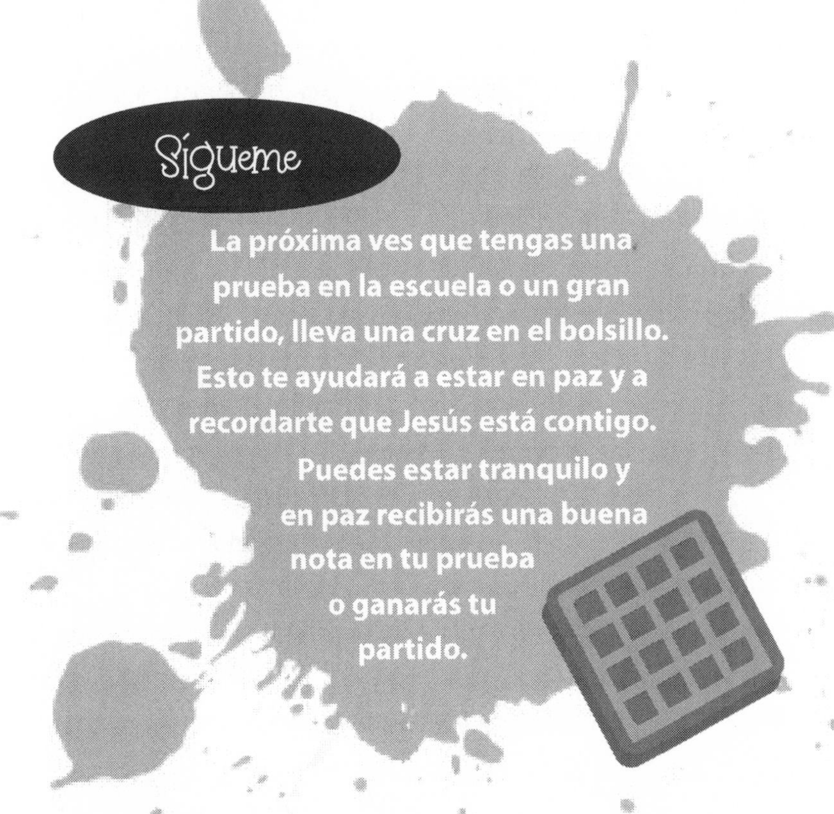

88

El arresto de Jesús

Mateo 26:47-56

"'Amigo, le replicó Jesús—, ¿a qué vienes?'" Mateo 26:50

Había llegado el momento.

Jesús sabía lo que estaba por sucederle. Sabía quién se estaba preparando a traicionarlo. Sabía que era hora de ser arrestado y ser juzgado y ser crucificado y morir en la cruz. Lo sabía todo.

Jesús y los discípulos todavía estaban hablando en el jardín de Getsemaní cuando una gran multitud de personas entró en el jardín. Tenían espadas y palos como si estuvieran listos para luchar. La multitud incluía sacerdotes y ancianos del pueblo. Pero también incluía una cara muy familiar: Judas Iscariote, uno de los discípulos de Jesús. Sólo puedo imaginar las expresiones de asombro de los discípulos cuando vieron a Judas entrar al jardín con los "malos". Y luego, cuando presenciaron como Judas le dio un beso a Jesús en la mejilla y lo traicionó, ¡deben haber estado tan enojados!

Pero nada de esto sorprendió a Jesús. No se sorprendió por la traición de Judas. Ni siquiera peleó cuando lo arrestaron. Sabía que Judas iba a traicionarlo. Incluso le dijo en el jardín que hiciera lo que venía a hacer. Estaba listo para morir.

Los discípulos, sin embargo, no estaban listos para que él muriera. Estaban extremadamente molestos. ¡Pedro se enojó tanto que agarró la espada de un soldado y le cortó su oreja! Pero Jesús rápidamente reprendió a Pedro y sanó al hombre. Estaban listos y dispuestos a defender a Jesús, a hacer cualquier cosa para protegerlo.

¿Y tú? ¿Estás dispuesto a defender a Jesús? ¿Qué harías si todos tus amigos no creyeran en Jesús y se burlaran de tí por creer en él? ¿Seguirías a la multitud y seguirías las creencias de ellos? ¿O estarías dispuesto a ponerte de pie y decir en voz alta que crees en Jesús?

Es difícil ir en contra de lo que el mundo entero está haciendo, pero nosotros, como cristianos, debemos estar listos para defender a Jesús. Debemos estar dispuestos a dejar saber a los demás que él los ama y se preocupa por ellos, y que murió por ellos para que pudieran vivir para siempre. Si no lo defendemos, ¿quién lo hará?

Padre Dios, ayúdame a defenderte siempre y a no tener miedo de contarles a los demás sobre tí. Dame valor y fuerza para compartir de tí con los demás. En el nombre de Jesús, amén.

Pedro niega a Jesús

Mateo 26:69-75

"En ese instante cantó un gallo. Entonces Pedro se acordó de lo que Jesús había dicho: 'Antes de que cante el gallo, me negarás tres veces'. Y saliendo de allí, lloró amargamente." Mateo 26:74b-75

Piensa en quién es tu mejor amigo. Imagina que a él se le acusa de haber hecho algo que realmente no hizo. Querrías apoyarlo, pero al mismo tiempo quieres alejarte de la situación y no quieres que se te asocie con él. Otros te preguntan "¿No eres su mejor amigo?" Lo niegas rápidamente porque no quieres meterte en problemas.

Pero luego escuchas un sonido que te recuerda a tu mejor amigo y todos los momentos divertidos que tuviste juntos. Recuerdas por qué son amigos y te avergüenzas de no apoyarlo. No puedes creer que alguna vez hubieras negado el hecho de que son amigos sólo porque tenías miedo. Y por lo culpable y vergonzoso que te sientes, lloras.

Esto le sucedió a Pedro, uno de los discípulos de Jesús. Hay a quienes les gusta decir que Pedro era el mejor amigo de Jesús. Jesús les dijo a los discípulos muchas cosas acerca de lo que le pasaría. Pero con Pedro, las cosas eran diferentes. Pedro y Jesús eran amigos muy íntimos. Sin embargo, Jesús le dijo a Pedro algo que Pedro no creía que pasaría. Jesús le dijo que llegaría un día en el que antes de que cante el gallo, Pedro habría negado haber conocido a Jesús tres veces. Cuando Jesús le dijo eso, Pedro dijo rápidamente que eso nunca sucedería. ¿Por qué negaría que conocía a Jesús?

Después de que Jesús fue arrestado, Pedro lo siguió, pero desde lejos. Tenía miedo de acercarse demasiado porque podría ser arrestado también. Pero Pedro no podía permanecer oculto. La gente lo reconoció como uno de los discípulos de Jesús. Tres personas lo interrogaron y dijeron que era uno de los discípulos. Cada vez que lo interrogaron, se enojaba y rápidamente negaba a Jesús. Entonces oyó el sonido de un gallo cantando y al instante recordó lo que Jesús había dicho. ¿Cómo pudo haber hecho esto? Estaba tan avergonzado que la Biblia dice que "lloró amargamente." (Mateo 26:75b).

Pedro hizo algo que tú crees que nunca harías. ¿Cómo podría alguien que ama tanto a Jesús negar conocerlo? Pueda que haya un momento en tu vida en que esto suceda. Rezo que nunca pase. Rezo por que te aferres a Jesús en los momentos más difíciles. Rezo que grites desde los tejados cuánto amas a Jesús. Rezo que tu vida brille la luz de Jesús.

¿Será difícil? No. Pero recuerda que Jesús te ama y siempre debemos estar dispuestos a compartirlo con los demás.

Dios amoroso, gracias por Jesús. Ayúdame a trabajar duro todos los días para mostrar su amor a otras personas y nunca negar conocerlo. Te amo, Señor. Amén.

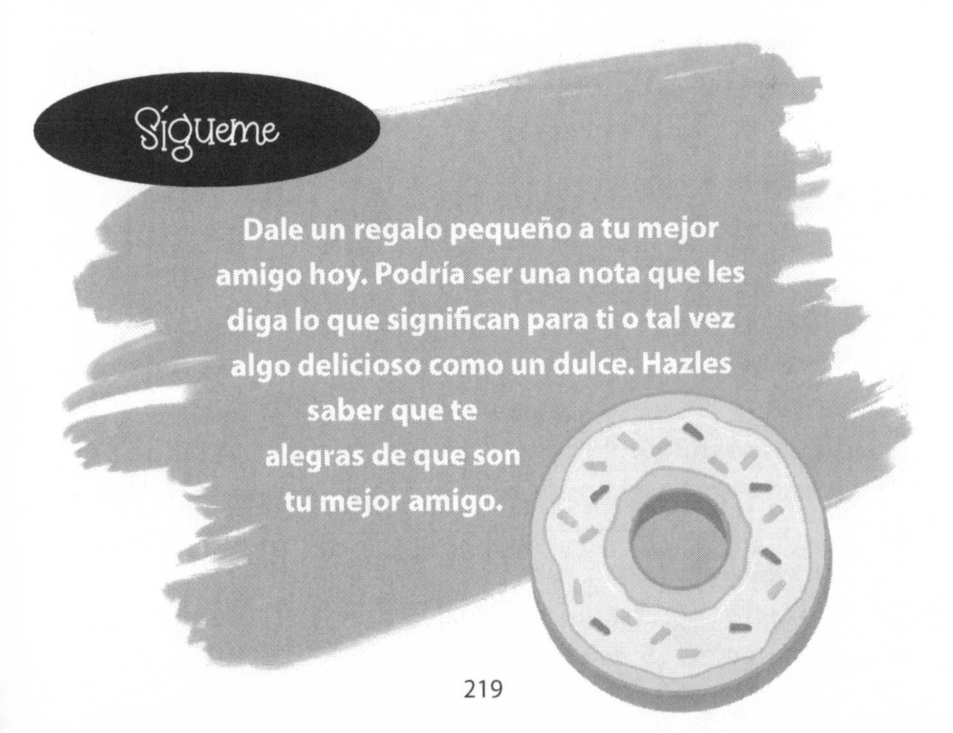

La crucifixión

Mateo 27:32-56

"Cuando el centurión y los que con él estaban custodiando a Jesús vieron el terremoto y todo lo que había sucedido, quedaron aterrados y exclamaron: 'Verdaderamente éste era el Hijo de Dios!'" Mateo 27:54

La historia de la muerte de Jesús es tan triste. No me gusta hablar de esto porque siempre me hace llorar. Pero es en lo que se centra nuestras vidas como cristianos. Si Jesús no hubiera muerto, ¿cómo serían nuestras vidas? Por lo tanto, es importante hablar de la muerte de Jesús, incluso si nos pone triste.

¿Merecía Jesús morir en la cruz? ¡Absolutamente no! No hizo nada malo. Todo lo que hizo fue compartir sobre Dios, hacer milagros, sanar a la gente y amar a la gente. No hay nada malo en eso. Pero sabemos cómo va esta historia. Jesús es arrestado y es crucificado. La crucifixión es cuando una persona es clavada en una cruz y colgada allí para morir.

Mientras Jesús estaba colgado en la cruz, varias cosas pasaron. Primero, se le quitó su ropa y los soldados la desparramaron. Pusieron un letrero sobre él que decía "ESTE ES JESÚS, EL REY DE LOS JUDÍOS." (Mateo 27:37). Se burlaron de él y dijeron cosas terribles sobre él. Los soldados pensaban que si realmente era el hijo de Dios, entonces debería poder salvarse a si mismo y no morir.

Durante esos momentos, Jesús no habló mucho, pero dijo algo que está registrado en la Biblia. Le hizo una pregunta a Dios. Quería saber por qué Dios lo había abandonado. Creo que fue en este momento en que Jesús fue muy humano y se sintió solo.

Luego Jesús toma su último respiro y muere. En ese momento la tierra se estremeció y las rocas se partieron en dos. Y luego sucedió algo increíble. La cortina en el templo se partió al medio. Tal vez se pregunten porqué es tan importante que una cortina se parta por la mitad, pero esta es la razón: dentro del templo había una cortina que separaba al Santo de los Santos de todo lo demás. El Santo de Santos era donde se guardaba el Arca del Convenio. Aquí era donde se encontraba la presencia de Dios y nadie podía entrar en el Santo de Santos excepto el sacerdote y sólo era capaz de entrar una vez al año. Esa cortina representaba nuestra separación con Dios.

Sígueme

Haz una cruz de papel. Escribe "Jesús murió para que yo pueda vivir." Ponla en un lugar donde la veas todos los días. Este será un gran recordatorio del sacrificio que Jesús hizo por ti y te recordará de su amor por ti.

Pero ahora que la cortina se había partido en dos, significaba que ya no estábamos separados de Dios. Jesús fue lo que rompió esa separación porque tomó todos nuestros pecados y murió por nosotros para que pudiéramos vivir para siempre en el cielo. ¿Tiene sentido? Tal vez sea difícil para ti entenderlo ahora, pero creo que tendrá más sentido cuando seas mayor.

La muerte de Jesús es triste. A veces queremos saltarnos la crucifixión y la muerte y centramos en su resurrección. Pero su muerte fue lo que nos dio acceso a Dios. Es en lo que basamos nuestra fé. Y es una parte vital de quienes somos. Así que demos gracias a Dios por enviar a Jesús a morir por nosotros. Sin su muerte no podríamos vivir para siempre con él en el cielo. Y por eso estoy eternamente agradecida.

Dios amoroso, no me gusta pensar en la muerte de Jesús, pero estoy agradecida de que él dio su vida por mi. Ayúdame a recordar siempre que me amas. En el nombre de Jesús, amén.

El pan francés

4 huevos
1 taza de leche
2 cucharaditas de vainilla
8 rebanadas de pan

En un tazón, combina los huevos, la leche, y la vainilla hasta que estén bien batidos. Sumerje ambos lados del pan en la mezcla, recubriendolo bien. Derrite un poco de mantequilla en una sartén, entonces pone el pan recubierto en la sartén. Cocina hasta que ambos lados estén marrón dorado. Sirve con el azúcar en polvo o canela y un montón de dulce.

Algo para pensar

¿Cómo ha bendecido Dios tu vida esta semana?

Sepultura de Jesús

Lucas 23:50-56

"Éste se presentó ante Pilato y le pidió el cuerpo de Jesús. Después de bajarlo, lo envolvió en una sábana de lino y lo puso en un sepulcro cavado en la roca, en el que todavía no se había sepultado a nadie." Lucas 23:52-53

Probablemente estás muy familiarizado con la historia de la muerte de Jesús y la historia de su regreso a la vida (su resurrección). Pero ¿qué tan familiarizado estás con lo que le pasó a su cuerpo después de su muerte? ¿Sabes adónde fue enterrado, y quién se encargó de todo eso?

José de Arimatea. ¿Alguna vez has oído ese nombre? Ese es el hombre que decidió que quería tomar el cuerpo de Jesús y enterrarlo. José era un fariseo de una ciudad llamada Arimatea, que estaba a unos ocho kilómetros al norte de Jerusalén. Los fariseos eran los líderes religiosos en Israel, a los que no les gustaba Jesús, que lo arrestaron, y luego lo crucificaron. Entonces, ¿por qué uno de ellos estaba dispuesto a enterrar el cuerpo de Jesús?

José, sin embargo, no era como los otros fariseos. En realidad, creía en Jesús. Creía que Jesús era el hijo de Dios y que él era el Mesías, el que era enviado al mundo para salvarnos de nuestros pecados. La Biblia dice que José era "bueno y justo, que no había estado de acuerdo con la decisión ni con la con la conducta de ellos." (Lucas 23:50-51). No estaba de acuerdo con los fariseos y estaba muy en contra de su plan de matar a Jesús. Básicamente, José era uno de los buenos.

Así que le pidió a Pilato el cuerpo de Jesús, y luego lo tomó y puso su cuerpo en uno de sus sepulcros. Lo envolvió en una sábana de lino y lo colocó en un sepulcro. Amaba a Jesús y quería hacer esto por él.

Creo que esta historia de José debería recordarnos algo. No podemos juzgar a todas las personas por cómo algunos de ellos actúan. A pesar de que José era un fariseo, sabemos que no creía como ellos y no actuaba como ellos. Pensamos que todos los fariseos eran malos, pero hemos aprendido que estábamos equivocados al respecto. A esto lo llamamos "estereotipar." Vemos la forma en que algunas personas actúan y luego pensamos que todos esos tipos de personas actúan de la misma manera, lo cual no siempre es cierto.

Trata de no juzgar a alguien porque estén asociados con alguien. Intenta conocer a una persona y descubrir quiénes son realmente. Creo que te alegrarás de haberlo hecho.

Santo Dios, gracias por José de Arimatea. Gracias por ayudarme a ver que no debería juzgar a los demás. Ayúdame a amar como amas. En el nombre de Jesús, amén.

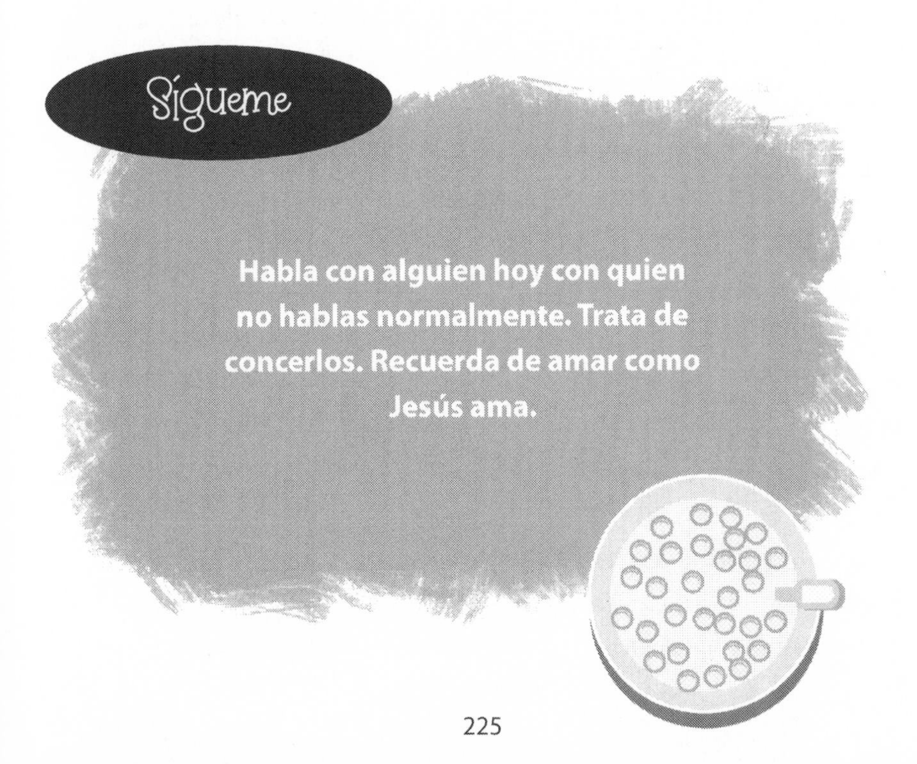

92

¡Ha resucitado!

Lucas 24:1-12

"¿Por qué buscan ustedes entre los muertos al que vive? No está aquí; ¡ha resucitado! Recuerden lo que les dijo cuando todavía estaba con ustedes en Galilea."
Lucas 24:5b-6

"¡Ha resucitado! ¡Ha resucitado! ¡Ha resucitado!"

Puedo oír la emoción en las voces de las mujeres mientras gritaban esto a los discípulos temprano esa mañana después de que descubrieron que la tumba estaba vacía. Los ángeles que se les aparecieron les dijeron que estaban buscando en el lugar equivocado a alguien que estaba vivo. Estaban un poco confundidas hasta que los ángeles se lo explicaron. Encontramos esto en los versículos 6-8:

"No está aquí; ¡ha resucitado! Recuerden lo que les dijo cuando todavía estaba con ustedes en Galilea: 'El hijo del hombre tiene que ser entregado en manos de hombres pecadores, y ser crucificado, pero al tercer día resucitará.' Entonces ellas se acordaron de las palabras de Jesús." (Lucas 24:6-8).

Jesús había dicho a todos a sus seguidores, incluídas las mujeres, que moriría y sería resucitado. Tal vez nadie entendió realmente lo que quería decir con eso, así que se olvidaron de ello. Ya no pensaban en la resurrección, hasta que los ángeles les ayudaron a recordar. Me encanta cómo de repente los recuerdos volvieron y recordaron todo lo que Jesús les había dicho de su muerte y su resurrección. Se emocionaron tanto por lo que recordaron que se apresuraron a decírselo a los discípulos.

¿Olvidas a veces cosas que lees y aprendes de Jesús y Dios que se encuentran en la Biblia? Sé que hay momentos en que leo un versículo y pienso a mi misma, ¿cómo he podido olvidar esto a pesar de que lo he leído antes? ¿Cómo podría olvidar una historia tan genial como esta?

Pero la realidad es que somos como los discípulos y las mujeres de la Biblia. A veces olvidamos las cosas que Jesús nos dice a través de su palabra. Y eso está bien. Estoy muy agradecida que Jesús continuamente nos recuerda lo que dice a través de lo que leemos en la Biblia, a través de nuestros padres y abuelos, a través de nuestros amigos, a través de nuestro pastor y maestros en la iglesia, incluso a través de canciones que escuchamos en la radio y libros que leemos. Jesús siempre nos está hablando. Tratemos de recordar lo que nos dice cada día.

Dios amoroso, gracias por recordarme todo el tiempo de ti. Ayúdame a trabajar duro para recordar lo que me dices. En el nombre de Jesús, amén.

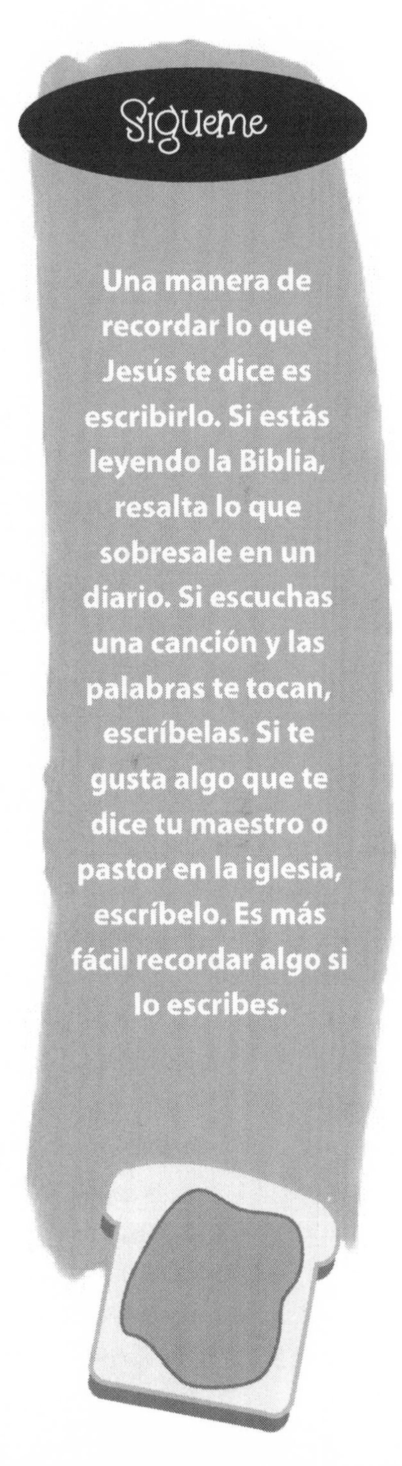

92

Jesús se le aparece a María Magdalena

Juan 20:11-18

"Jesús le dijo: '¿Por qué lloras, mujer? ¿A quien buscas?'"
Juan 20:15

María Magdalena está muy molesta, había venido a la tumba de Jesús par ungir su cuerpo con especias. Pero cuando llegó, encontró la piedra que tapaba la tumba movida y la tumba vacía. En este capítulo de Juan, encontramos a María Magdalena afuera de la tumba llorando. Imagina que eres María y no podías encontrar el cuerpo de Jesús. Tengo le sensación de que tú también habrías estado afuera de la tumba llorando.

Pero luego María Magdalena decide echar un vistazo dentro de la tumba y encuentra dos ángeles vestidos de blanco. Le preguntan por qué está llorando, y ella les dice que porque el cuerpo de Jesús ha desaparecido. Entonces se da la vuelta y ve a un hombre de pie junto a ella, y él le pregunta lo mismo, "¿Por qué lloras, mujer? ¿A quién buscas?" (Juan 20:15). Ella no conoce al hombre porque la biblia nos dice que ella cree que es un jardinero, alguien que ayuda a cuidar de las tumbas.

Pero este hombre dice su nombre "María." Cuando oye su nombre, sus ojos se abren y reconoce a este hombre. ¡Es Jesús! ¡Está vivo!

Hay dos cosas que me encantan de esta historia. Primero que María Magdalena fue a la primera persona Jesús se le apareció después de Su resurrección No se le apareció a sus discípulos primero. Fue a María Magdalena, una mujer que amaba a Jesús y era una devota seguidora suya. La segunda cosa que amo es cómo María Magdalena reconoció a Jesús después de que dijo su nombre. Cuando dijo suavemente su nombre ella sabía que era Jesús. Sus ojos se abrieron para ver que Jesús realmente estaba vivo. Y ella lo vio, porque dijo su nombre.

Jesús también está diciendo tu nombre. ¿Lo oyes? Puede que no lo grite. Puede que lo susurre. Es por eso que es importante que nos tomemos el tiempo para estar quietos (algo que sé que es difícil de hacer cuando eres un niño). Pero Jesús está diciendo tu nombre. Quiere que lo sigas. Quiere que le cuentes a los demás de él. ¿Puedes oírlo? Él te está llamando.

Padre Dios, ayúdame a tomar el tiempo para detenerme y escucharte. Gracias por llamarme a seguirte. Ayúdame a obedecer y seguirte en todo momento. En el nombre de Jesús, amén.

Sígueme

Una manera de animar a la gente es decir sus nombres. Sé que suena raro, pero piénsalo: ¿no te gusta cuando la gente te llama por tu nombre? Cuando pasas a alguien en el pasillo, salúdalos y di su nombre. ¡Estoy seguro de que los harás sonreír!

94

De camino a Emaús

Lucas 24:13-35

"Luego, estando con ellos a la mesa, tomó el pan, lo bendijo, lo partió y se los dio. Entonces se les abrieron los ojos y lo reconocieron, pero él desapareció."
Lucas 24:30-31

Un día, dos seguidores de Jesús caminaban camino a Emaús, un pueblo que estaba a unas siete millas de Jerusalén, Estaban ocupados discutiendo todo lo que había ocurrido en los últimos días, desde el arresto de Jesús hasta su resurrección. De repente Jesús vino hacia ellos y caminó con ellos. Pero ¿crees que lo reconocieron como Jesús? No, no lo reconocieron. Jesús les impidió que lo reconocieran a propósito. No estoy segura de cuál era la razón, tal vez no estaba listo para revelarse a sí mismo todavía.

Es difícil imaginar que ni siquiera lo reconocieron. ¿Cómo no se dan cuente de que era Jesús, su amigo, del que habían estado aprendiendo y siguiendo durante los últimos tres años? ¿Cómo no reconocieron su voz ni preguntaron quién era realmente mientras hablaba con ellos? Es difícil de creer.

Pero lo que Jesús hizo para abrir sus ojos fue que compartió el pan, dio gracias por el pan y se los dio. Después de que hizo esto, sus ojos se abrieron, y vieron a Jesús.

¿Están abiertos tus ojos para ver a Jesús hoy? No estoy hablando de ver el cuerpo físico de Jesús, pero podemos ver a Jesús todos los días si abrimos los ojos y miramos. Jesús está en otras personas, en la creación y en todo. Sólo necesitamos tener los ojos abiertos y buscarlo. ¿Lo ves?

Dios creador, gracias por mis ojos. Ayúdame a usarlos para ver a Jesús en mi mundo hoy. Amén.

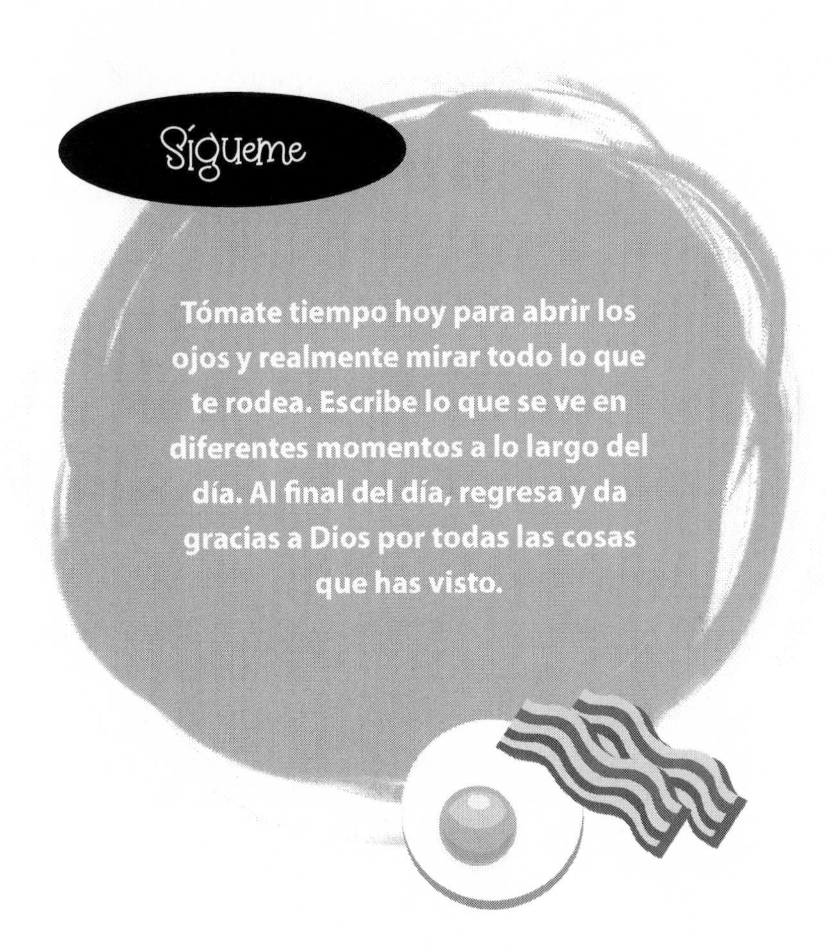

Sígueme

Tómate tiempo hoy para abrir los ojos y realmente mirar todo lo que te rodea. Escribe lo que se ve en diferentes momentos a lo largo del día. Al final del día, regresa y da gracias a Dios por todas las cosas que has visto.

95

Jesús se les aparece a los discípulos

Lucas 24:36-49

"Entonces les abrió el entendimiento para que comprendieran las Escrituras." Lucas 24:45

Los doce discípulos todavía no habían visto a Jesús resucitado. Habían oído de las mujeres que su cuerpo no estaba en la tumba. Corrieron a la tumba para verlo. Pero aún no habían visto a Jesús vivo. María Magdalena había visto a Jesús, y los otros dos amigos habían visto a Jesús en el camino a Emaús, pero no a los discípulos. ¿Cuándo se mostraría Jesús a sus amigos íntimos?

¡En el momento en que estaban hablando de cuando Jesús apareció a sus dos amigos en el camino a Emaús, Jesús se les apareció! Estaban tan conmocionados, creo, porque Jesús dijo que parecía que habían visto un fantasma. Les mostró las manos y los pies y les dejó ver las cicatrices. Y también les dijo que lo tocaran para que se dieran cuenta de que era real.

Entonces Jesús continúa explicando que todo lo que le sucedió tenía que suceder para que las Escrituras pudieran cumplirse. Y luego me encanta lo que hace después, "Entonces les abrió la mente para que pudieran comprender las Escrituras." (Lucas 24:45).

Los discípulos todavía no lo creían. Como les dije, creo que estaban conmocionados, pero también fascinados de que su amigo, su salvador, estuviera vivo. Aún así, no entendían todo. Por eso es que Jesús abrió sus mentes y fueron capaces de entender lo que estaba pasando y por qué. Puedo imaginar las caras de los discípulos cuando entendieron lo que venía diciendo Jesús. ¡De repente, tenía sentido!

¿Alguna vez has leído las Escrituras y no las has entendido? Sé que hay momentos en los que tampoco las entiendo. Las leí una y otra vez y a veces no tienen sentido. Pero encontré algo que me ayuda a entender la Biblia: Rezo antes de leer, le pido a Dios que me dé sabiduría para entender lo que estoy leyendo para poder ver y oír lo que Dios está diciendo. ¿Y sabes qué? Cuando hago eso, ¡es más fácil entender!

Así que cuando te sientas frustrado porque no entiendes, reza. ¡Y luego lee y observa a Dios ayudarte a entender!

Dios todopoderoso, quiero entender tu palabra. Dame sabiduría al leer las Escrituras y ayúdame a entender lo que me estás diciendo. En el nombre de Jesús, amén.

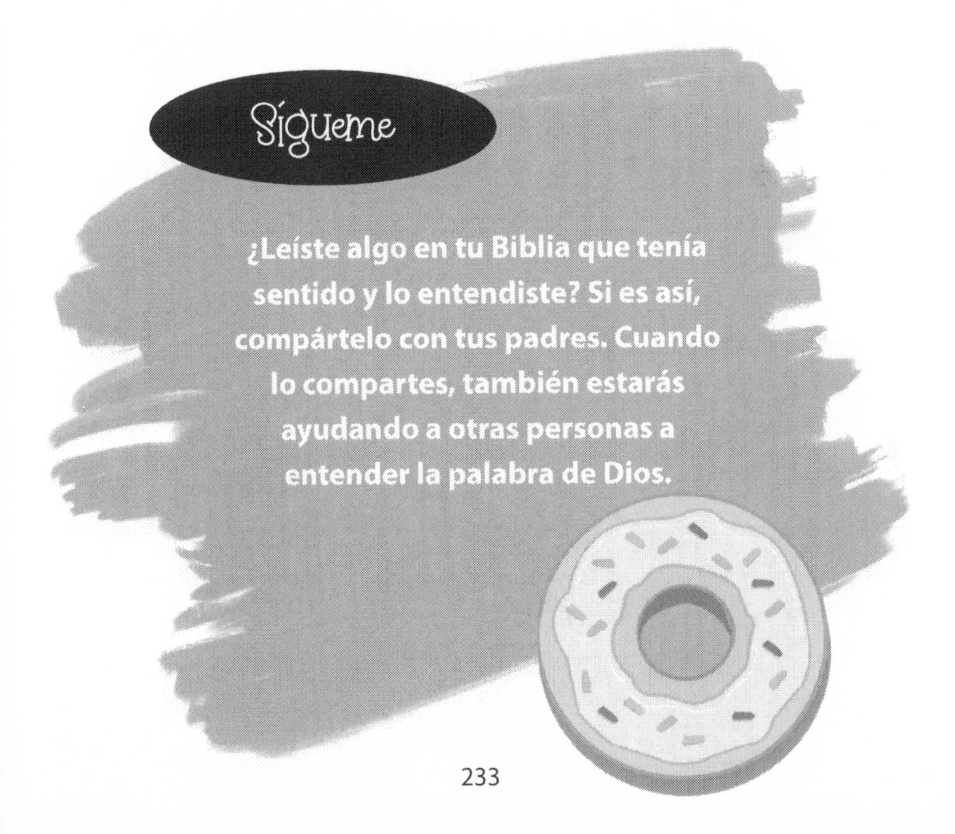

Tomás el incrédulo

Juan 20:24-29

"Luego le dijo a Tomás: 'Pon tu dedo aquí y mira mis manos. Acerca tu mano y métela en mi costado. Y no seas incrédulo, sino hombre de fé." Juan 20:27

¿Alguien te ha dicho algo que te parecía difícil de creer? ¿Una historia que parecía tan extraña que no había modo de lo que dijeron pudiera haber sucedido? Parecía imposible.

Así es exactamente como se sintió Tomás, uno de los discípulos de Jesús, el día en que los otros discípulos le dijeron que Jesús estaba vivo. Pobrecito Tomás no estaba en la casa donde estaban los otros discípulos cuando Jesús se les apareció. La Biblia no nos dice dónde estaba Tomás, sólo que no estaba con los demás. Se perdió la primera aparición de Jesús a los discípulos.

Pero pensarías que cuando los discípulos vinieron y le contaron a Tomás lo que pasó, él les creería, ¿verdad? Tomás había estado con Jesús durante tres años y había visto todos los milagros que Jesús había realizado. Sabía que Jesús podía hacer cosas milagrosas y sabía que sus amigos nunca le mentirían, ¿verdad? Pero por alguna razón Tomás les dijo que no les creía que Jesús había resucitado de entre los muertos hasta que pudiera poner su dedo donde habían estado los clavos y poner su dedo en el torso de Jesús. Tenía que verlo por si mismo para saber que era cierto. No estaba aceptando la palabra de sus amigos en este caso.

Una semana más tarde Tomás finalmente consigue su deseo. Jesús aparece de nuevo a todos los discípulos (y a Tomás). Jesús le dice a Tomás que puede poner su dedo donde han estado los clavos y en su costado. Y después Jesús le dice a Tomás, "Y no seas incrédulo, sino hombre de fé." (Juan 20:27b). (Por eso es por qué algunas personas lo llaman Tomás el Incrédulo.)

Sígueme

Escribe la palabra "CREER" en una hoja de papel. Pégala en algún lugar que la veas todos los días. Deja que sea un recordatorio para que creas en Jesús en todo momento.

Tal vez ha habido momentos en tu vida en los que has dudado de Jesús. Tal vez no creías que él proveería para tu familia cuando necesitaban ayuda. Tal vez no creías que él oye cada una de tus oraciones. Tal vez no creías que te ama porque has hecho cosas malas. Tal vez has sido un incrédulo, al igual que Tomás.

Rezo que lleves tu duda a Dios y pidas perdón. Y luego creas en Dios. Confía en Jesús con todo tu corazón. Dios va a proveer. El oye tus oraciones. El te ama pase lo que pase.

Dios fiel, gracias por amarme. Ayúdame a creer siempre en ti y confiar en ti aunque parece imposible. En el nombre de Jesús, amén.

Té con especias

20 onzas de Tang
20 onzas de limonada en polvo
½ taza de té instantáneo
2 cucharaditas de canela
1 cucharadita de clavo de olor
1 cucharadita de la nuez moscada

Combina todos los ingredientes. Pon 2-3 cucharadas en el té con especias en una taza. Hierve el agua en una tetera. Una vez hervido, agrega el agua a la taza de té. Mezcla bien y sirve caliente.

Algo para pensar

¿De que hablarías con Jesús mientras bebes una taza de té juntos?

97

Desayuno en la playa

Juan 21:1-14

"'Vengan a desayunar,' les dijo Jesús. Ninguno de los discípulos se atrevía a preguntarle: '¿Quien eres tú?' porque sabían que era el Señor." Juan 21:12

Si pudieras elegir a una persona con quien desayunar, ¿a quién elegirías?

Algunos de ustedes podrían decir su personaje de dibujos animados favorito, un actor o actriz favorito, un personaje de un videojuego, un atleta favorito, un autor favorito, un músico o cantante favorito, o tal vez incluso el presidente de los Estados Unidos.

Pero ¿y si pudieras desayunar con Jesús? Realmente desayunar ías con él, y podría físicamente verlo con tus ojos y saber que estaba presente contigo. ¿Cuál sería su reacción? ¿Estarías asombrado? ¿Te sorprendería? ¿Estarías nervioso o asustado? ¿Hablarías mucho o no? ¿Sabrías qué decirle? ¿Qué harías si Jesús te dijera "'Vengan a desayunar?"

Los discípulos tuvieron que experimentar esto en una mañana muy temprano después de haber visto a Jesús vivo. Estaban pescando y no habían capturado mucho. ¡Entonces un hombre en la costa les dijo dónde dejar caer sus redes y cuando lo hicieron, capturaron 153 peces! Los discípulos lo reconocieron al hombre como Jesús. Pedro estaba tan emocionados, que saltaron del barco y nadaron a la costa (a pesar de que el barco no estaba lejos de la costa). ¡Estaban tan emocionados de ver a Jesús!

Entonces Jesús los invitó a venir a desayunar con él. ¿Y adivina lo que comieron? ¡Pescado! (¡Nunca he comido pescado para el desayuno!). Creo que los discípulos estaban encantados de volver a ver a Jesús (esta era la tercera vez que se les había aparecido desde su resurrección). Creo que hablaron mucho con Jesús esa mañana en el desayuno. Creo que querían pasar el tiempo que podían con Jesús y estaban ansiosos por hablar con él y escucharlo.

Jesús no sólo invitó a los discípulos a desayunar, sino que también nos invitó a nosotros a desayunar con él. Rezo por que este libro de devociones te haya ayudado a abrir tu Biblia y pasar tiempo con él. Rezo que te entusiasmes tanto como Pedro por pasar tiempo con Jesús. ¿Aceptarás la invitación de Jesús para desayunar con él todas las mañanas? Sé que Jesús está esperando para pasar tiempo contigo.

Dios santo, gracias por invitarme a desayunar con Jesús. Ayúdame a estar siempre emocionado por pasar tiempo contigo. En el nombre de Jesús, amén.

98

Pedro, ¿me amas?

Juan 21:15-19

"Cuando terminaron de desayunar, Jesús le preguntó a Simón Pedro: 'Simón, hijo de Juan, ¿me amas más que a éstos?' 'Sí, Señor, tu sabes que te quiero,' contestó Pedro. 'Apacienta mis corderos.' Le dijo Jesús." Juan 21:15

¿Alguna vez te has frustrado con alguien porque seguían haciéndote la misma pregunta una y otra vez? Estabas bien cuando te preguntaron una segunda vez, pero te molestaste después de la tercera y cuarta vez habiéndole dado la misma respuesta cada vez. ¡Incluso puedes haber estado que estabas por reventar! ¿Por qué siguen haciéndote la misma pregunta?

Se podría decir que Pedro se sintió frustrado esa mañana en la playa después del desayuno con Jesús. Jesús le preguntaba a Pedro si lo amaba. ¿Por qué seguiría haciendo una pregunta ridícula como esa? Por supuesto, Pedro amaba a Jesús. Después de la tercera vez, Pedro comenzó a sentirse herido. ¡Seguramente Jesús sabía que Pedro lo amaba mucho!

La respuesta de Jesús después de que Pedro dijo "sí" todas esas veces en que le preguntó si lo amaba era un simple recordatorio, "Alimenta a mis corderos. Cuida de mis ovejas. Alimenta a mis ovejas." (Juan 21:15b, 16b, 17b). ¿Le pedía Jesús realmente que cuidara de las ovejas que vivían en el campo? No. Las ovejas a las que Jesús se refería eran personas como nosotros. Todos nosotros somos considerados ovejas y Jesús es nuestro pastor (¿Recuerda nuestra devoción llamada el buen pastor?).

Jesús se asegura de que Pedro se dé cuenta de la importancia de cuidar de todas las personas. Quiere que Pedro sepa que su deber es salir y hacer que los demás sepan de Jesús y predicar la palabra de Dios a todos.

Llena el espacio vacío con tu nombre y responde a esta pregunta. Recuerda que este deber no es sólo para Pedro, sino también para ti.

_____________, me amas? Sí Señor, tu sabes que te quiero.

Si me amas _____________, alimenta a mis corderos.

Padre de todo, te amo tanto. Ayúdame a siempre cuidar por los demás y contar a los demás sombre ti. Amén.

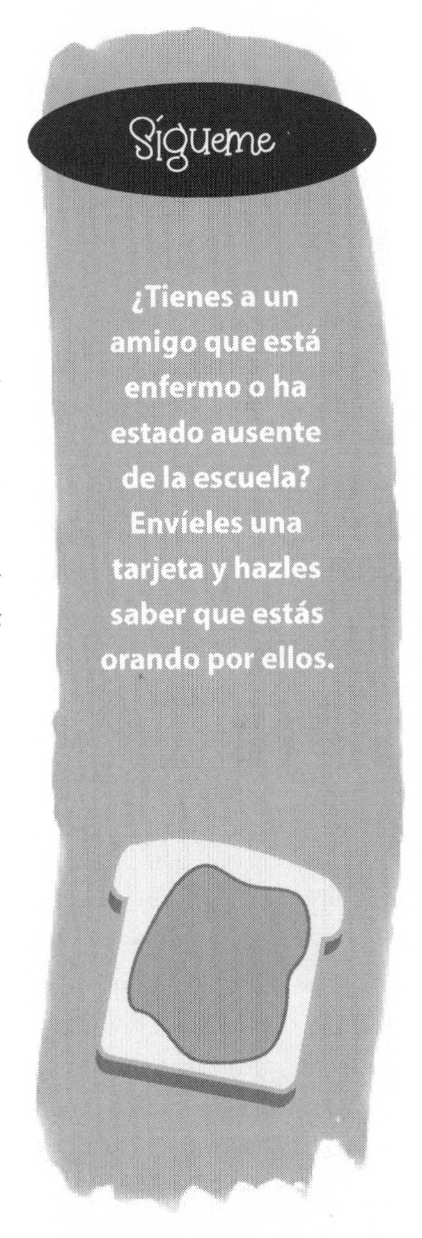

La ascensión

Lucas 24:50-53 y Hechos 1:1-11

"Sucedió que, mientras los bendecía, se alejó de ellos y fue llevado al cielo." Lucas 24:51

¿A cuántos de ustedes les gusta esperar?

Vivimos en un mundo hoy en día donde podemos conseguir casi cualquier cosa que querramos cuando lo queremos, ¿verdad? La internet nos ha permitido acceso a tantas cosas al instante. Así que cuando llega el momento de que esperes algo, estoy pensando que te puede costar esperar.

En la historia de hoy, encontramos a Jesús contandoles a los discípulos que tendrán que esperar a la llegado del Espíritu Santo. Recuerden, Jesús había resucitado y se les había aparecido a los discípulos y a otras personas a lo large de 40 días. Al final de este tiempo, llamó a sus discípulos a que se unan con él en un lugar llamado el Monte de los Olivos, que estaba fuera de Jerusalén. Jesús los bendijo. Y les dió una orden simple: esperen. Dijo "No se alejen de Jerusalén, sino esperen la promesa del Padre, de la cual les he hablado: Juan bautizó con agua, pero dentro de pocos días ustedes serán bautizados con el Espíritu Santo." (Hechos 1:4-5).

Después de que dijo esto, una nube se lo llevó y no pudieron verlo más. Esto es lo que llamamos la Ascensión de Jesús. Subió al cielo para estar con Dios. Cuando eso sucedió, no estaban tristes como estaban cuando murió. Sabían que algún día lo volverían a ver. Todo lo que tenían que hacer ahora era esperar. Jesús prometió que enviaría al Espíritu Santo para darles poder para dar testimonio, lo que significa salir y contar a los demás acerca de Jesús y quién es. Es lo que llamamos a la manera en la que compartimos nuestra fé y llevamos a los demás a llegar a conocer a Jesús como su salvador también.

Los discípulos tuvieron que esperar 10 días. Eso no parece mucho tiempo, pero cuando estás listo para recibir algo, ¡entonces parece para siempre! Creo que los discípulos estaban listos para el Espíritu Santo, pero no creo que se quejaron de cuánto tiempo estaba tomando (algo que tendemos a hacer).

Me encanta lo que la Biblia dice que hicieron mientras esperaban: "Todos, en un mismo espíritu, se dedicaron a la oración, junto con las mujeres y con los hermanos de Jesús y su madre María." (Hechos 1:14). Es increíble, ¿verdad? ¡Oraron! Y creo que esperaron pacientemente la llegada del Espíritu Santo. Diez días probablemente pasaron rápido porque oraron y esperaron pacientemente. ¡Y cuando el Espíritu Santo vino, valió la pena la espera!

A veces, cuando oramos, pensamos que Dios contestará nuestras oraciones al instante, ¿verdad? Pero tenemos que darnos cuenta de que no siempre hace eso. ¿Puede responder al instante? Absolutamente. Pero a veces nos hace esperar, al igual que los discípulos tuvieron que esperar al Espíritu Santo.

Lo que quiero que hagas mientras esperas es orar. Pídele paciencia a Dios para ayudarte a esperar. Practiquemos ser buenos en la espera y orar mientras esperamos.

Querido Dios, gracias por darnos siempre lo que prometiste. Gracias por el Espíritu Santo. Ayúdame a ser paciente mientras espero a que respondas a mis oraciones. Ayúdame a recordar que me oyes y que me amas. En el nombre de Jesús, amén.

Sígueme

¡Vamos a desconectarnos hoy! Haz que sea un día libre de teléfono, tableta, y computadora. Sin internet, videojuegos, y juegos del teléfono. ¡Desconéctate de tus electrónicos hoy y disfruta el esperar!

100

Muchos más

Juan 20:30-31 y Juan 21:25

"Pero éstas se han escrito para que ustedes crean que Jesús es el Cristo, el Hijo de Dios, y para que al creer en su nombre tengan vida." Juan 20:31

Hemos pasado los últimos cien días aprendiendo de la vida de Jesús. Hemos empezado desde el nacimiento de Jesús hasta su muerte y resurrección y su ascensión. Hemos leído historias que se encuentran en los Evangelios (los primeros cuatro libros del nuevo testamento) que detallan como era la vida de Jesús mientras estaba en la tierra. Hemos aprendido cosas que hizo, que son bastante sorprendentes, ¿verdad? Sanó a gente, mostró compasión hacia los demás, predicó sobre Dios, le enseñó a la gente de Dios, cenó con pecadores, trajo a gente de vuelta de la muerte, mostró bondad hacia los demás, y lo que es más importante, amó a los demás incondicionalmente.

En dos capítulos diferentes al final del libro de Juan (Juan 20 y 21), leemos algo que Juan escribe que es revelador. Pienso que tal vez crees que sabemos todo lo que hay que saber de Jesús, ¿verdad? Hay cuatros libros de la Biblia dedicados a enseñarnos quién era Jesús y lo que Jesús hizo. Apuesto que estás pensando que no hay manera de que pueda haber cualquier otra cosa que no sepamos de él.

Juan dice: "Jesús mostró otras señales milagrosas en presencia de sus discípulos, las cuales no están registradas en este libro. Pero estas se han escrito para que ustedes crean que Jesús es el Cristo, el Hijo de Dios, y para que al creer en su nombre tengan vida." (Juan 20:30-31).

¡Vaya! Sólo estamos arañando la superficie en estos primeros libros del nuevo testamento. No sabemos cada historia que hay que saber acerca de Jesús. Realizó tantas otras cosas que ni siquiera están escritas en uno de estos cuatro libros (Mateo, Marcos, Lucas, y Juan). Pero las historias que conocemos están escritas en este libro para nosotros. Están escritas para que creamos en Jesús como el Mesías, nuestro salvador. ¿Lo entendiste? Están escritas para que puedas creer en Jesús. Es increíble, ¿verdad?

El último versículo del libro de Juan dice que si cada historia sobre Jesús fuera escrita no habría suficiente espacio en el mundo entero para todos los libros. Juan nos hace saber que Jesús hizo mucho más de lo que se podría escribir. Espero que eso te de una pequeña idea de que tan magnifico es Jesús.

Espero que hayas aprendido algo nuevo sobre Jesús en los últimos cien días y espero que te hayas acercado más al Señor a medida que has pasado tiempo con él. No quiero que dejes de pasar tiempo con Jesús solamente porque nuestras devociones han terminado. Despiértate todos los días y desayuna con Jesús. Abre tu biblia y lee la palabra de Dios. Pasa tiempo en oración. Llega a conocerlo más. Acércate a Jesús y vive tu vida siguiéndolo.

Dios todopoderoso, gracias por darme tu palabra para leer para que pueda aprender más sobre tí. Ayúdame a pasar tiempo contigo todos los días. Y ayúdame a ser valiente y compartir tu con los demás. En el nombre de Jesús, amén.

Sígueme

Empieza a leer libros en el antiguo testamento. Mi favorito es el libro de Josué. Me encanta como Dios usa a Josué para ayudar a los israelitas a mudarse a la Tierra Prometida. Mientras lees, escribe algunas de tus partes favoritas de cada libro.

Sobre La Autora

Vanessa Myers tiene pasión por enseñar a los niños sobre Jesús y desea que cada uno de ellos pase tiempo con El diariamente. Es graduada de la Escuela Duke Divinty y ha estado dando sus servicios en el ministerio desde el 2001. Ella es la directora del ministerio de Niños en la Iglesia Metodista Unida de Dahlonega en Dahlonega, Georgia. También es autora del libro Rise Up: Elegir la fe sobre el miedo en el ministerio cristiano y Aventuras: Un devocional de Adviento para mujeres. Esta casada con Andrew y tienen dos hijas. Ella disfruta de compartir su fé, familia y ministerio en su blog: www.vanessamyers.org.

Made in the USA
Middletown, DE
14 September 2021

48294358R00149